화용언어
상황추론

언어치료 도구상자 시리즈 **10편**

화용언어
상황추론

언어치료 도구상자 시리즈 **10편**

초판 1쇄 발행 2025년 10월 01일

지은이 홍연정
그린이 이기재
편 집 김은예
펴낸이 박요한

펴낸곳 도서출판 봄비와씨앗
주소 세종특별자치시 한누리대로 411, KT&G 세종타워A 6층
전화 044)862-1365
출판등록 제25100-2019-000011호
구매처 bombi-books.co.kr

ISBN 979-11-91642-81-0

더 많은 봄비와씨앗의
교재와 전자북을 구매할 수 있습니다.

저자 서문

화용언어란 상황과 맥락에 맞게 이해하고 사용하는 능력을 말합니다. 화용언어 능력이 부족하면 타인의 의도나 상황의 흐름을 이해하지 못한 채 부적절한 행동을 보이곤 합니다. 특히 공공장소나 일상 속에서 요구되는 사회적 규칙과 암묵적 기대를 익히지 못한 채 겪는 곤란한 상황들은, 단순한 어휘나 문법 지식만으로 해결하기가 어렵습니다.

이는 화용언어가 단계적이고 복합적인 발달 과정을 통해 성장한다는 점에서 반복적이고 상황 중심의 훈련이 반드시 필요하다는 것을 보여줍니다.

이러한 필요를 바탕으로, 아이들이 실제 생활에서 마주할 수 있는 **50가지의 대표적인 사회적 상황**을 선별하여 교재로 구성하였습니다. 각 상황은 난이도에 따라 4단계로 나뉘며, 그림 속 인물 수, 배경의 복잡성, 문제 요소 수에 따라 점진적으로 난이도가 높아지도록 설계했습니다. 그림을 중심으로 **①상황을 이해하고, ②핵심 어휘를 문맥 속에서 연결하며, ③대화를 통해 추론하고, ④ 놀이형 활동으로 마무리**하는 구조를 제공하여 아이들의 화용 능력을 내면화할 수 있도록 돕고자 했습니다.

도구상자 10 '화용언어 상황추론'은 아이들이 직접 추론하고 표현하며, 단순한 언어 지식이 아닌 사회적 의사소통 능력을 기를 수 있는 실질적인 도구가 될 것입니다. 또한 반복되는 질문과 대화 구조는 아이의 메타인지적 언어 사용을 자극하고, 어휘 선택과 감정 표현, 타인의 관점을 이해하는 것에 이르기까지 화용언어의 다양한 하위 기술을 통합적으로 훈련할 수 있게 합니다. 나아가 아이 혼자 풀어보는 것이 아니라, 부모님 또는 교사와 함께 이야기를 나누며 풀 수 있는 구조로 구성되어 있어, 가정과 치료실, 학교 현장에서 다양하게 적용될 수 있습니다.

이 교재는 단순히 **'사회적 규칙'**을 주입하지 않습니다. 아이들이 왜 그런 상황이 문제인지 스스로 생각해 보고, 어떻게 말하고 행동해야 하는지를 자신만의 언어로 풀어내도록 이끕니다. 어른이 먼저 기다려주고, 함께 생각해 준다면 아이들은 '말'보다 더 깊은 이해와 실천의 힘을 얻게 됩니다.

도구상자 10 '화용언어 상황추론'이 단순한 언어 학습을 넘어, 당황스러웠던 순간을 성장의 기회로 바꿔주어 아이들의 삶을 풍부하게 만들어 줄 대화의 발판이 되길 바랍니다.

지은이 **홍연정**

활용 방안 1

[언어치료 도구상자 화용언어 상황추론편]은 실제 생활 속 50가지 사회적 상황을 통해 맥락을 이해하고, 인물의 행동과 감정을 추론하여 화용언어능력을 돕는 교재입니다!

1

아이들이 실제 생활에서 마주할 수 있는 **50가지의 사회적 상황**입니다. 그림을 보고 등장인물은 누가 있는지, 어떤 행동을 하고 있는지, 주변 사람들의 표정은 어떤지, 등장인물의 행동으로 인해 어떤 상황이 펼쳐질지 파악해 보세요.

2

어휘 풀이
상황에 따른 핵심 어휘를 익히고 예문을 통해 어휘의 쓰임을 파악할 수 있습니다.

3

이야기를 통해 상황을 추론하고 인과관계를 파악할 수 있습니다. 이야기를 읽기 전 **상황을 유추한 후, 비교**해 보세요.

4

O/X퀴즈를 통해 상황을 알맞게 파악했는지 확인해 볼 수 있습니다.
X로 답한 문항은 어느 부분이 틀렸는지 바르게 찾아 고쳐보세요.

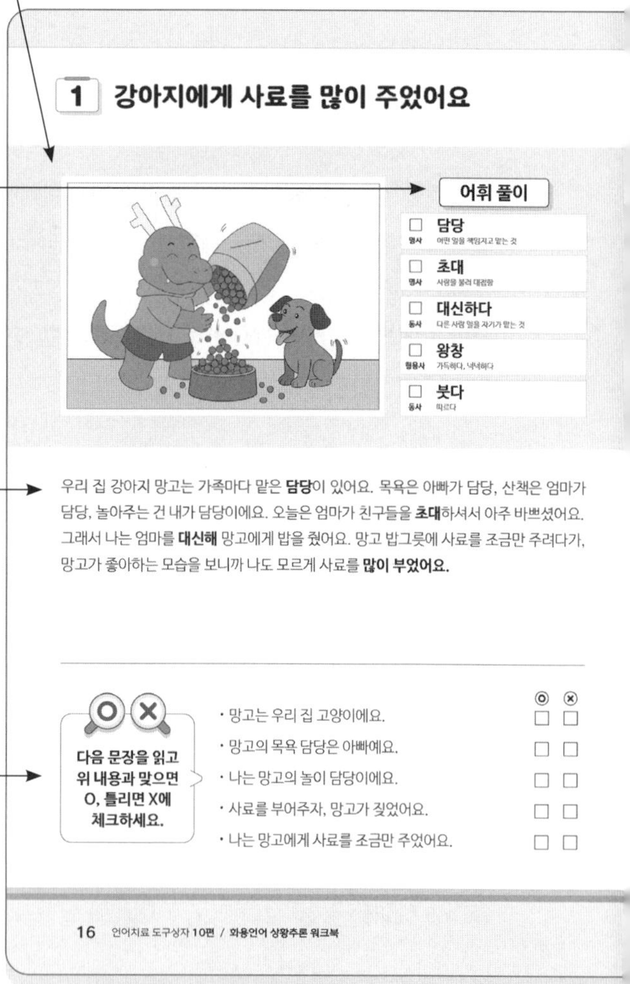

1. 상황그림을 보며 인물의 행동과 표정을 바탕으로, 어떤 일이 벌어졌는지 파악해 보세요.
2. 이야기상자를 통해 아이와 함께 파악한 것이 맞는지 비교해 볼 수 있습니다.
3. 어휘상자를 통해 장면에 등장하는 중심 어휘의 의미를 이해하고, 문장 속에서 어떻게 사용되는지 익힐 수 있습니다.
4. 대화를 통해 등장인물들의 감정과 의도를 추론하고, 나라면 어떻게 말할지 생각해서 빈칸을 채워보세요.
5. 상황 질문에 답하며 상황을 추론하고, 원인, 결과 예측, 해결, 경험을 묻는 말에 어떻게 대답할 것인지 아이 스스로 생각해 볼 수 있도록 도와줄 수 있습니다.

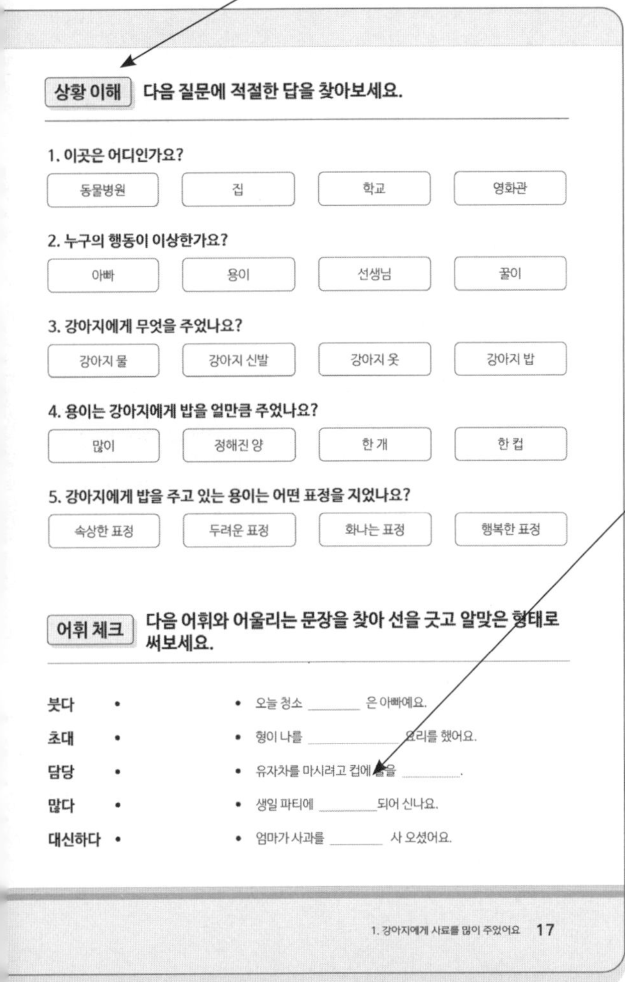
상황 이해 다음 질문에 적절한 답을 찾아보세요.

1. 이곳은 어디인가요?

동물병원	집	학교	영화관

2. 누구의 행동이 이상한가요?

아빠	용이	선생님	꿀이

3. 강아지에게 무엇을 주었나요?

강아지 물	강아지 신발	강아지 옷	강아지 밥

4. 용이는 강아지에게 밥을 얼만큼 주었나요?

많이	정해진 양	한 개	한 컵

5. 강아지에게 밥을 주고 있는 용이는 어떤 표정을 지었나요?

속상한 표정	두려운 표정	화나는 표정	행복한 표정

어휘 체크 다음 어휘와 어울리는 문장을 찾아 선을 긋고 알맞은 형태로 써보세요.

붓다 •	• 오늘 청소 ______ 은 아빠예요.
초대 •	• 형이 나를 ______ 요리를 했어요.
담당 •	• 유자차를 마시려고 컵에 물을 ______.
많다 •	• 생일 파티에 ______ 되어 신나요.
대신하다 •	• 엄마가 사과를 ______ 사 오셨어요.

1. 강아지에게 사료를 많이 주었어요 17

5

상황이해

장면에서 문제상황을 찾고 상황을 정확히 파악할 수 있는 질문에 답해보는 활동입니다.
단순히 눈앞의 **'행동'**을 보는 것이 아니라 어떤 행동이 문제인지 찾을 수 있습니다.

6

어휘 체크

이 활동은 아이들이 어휘의 정확한 의미와 쓰임을 문장 속에서 자연스럽게 익힐 수 있도록 돕는 어휘 중심 문제입니다. **제시된 어휘를 가장 잘 어울리는 문장과 연결**하고, **문맥에 맞게 써보며 실제 사용 방식을 학습합니다.**

활용 방안 2

7

대화 추론
등장인물들의 대화를 통해 문제상황으로 인해 생기는 일과 등장인물들의 감정을 파악할 수 있습니다. 또한 나라면 어떻게 말할지 등장인물이 되어 생각해 볼 수 있습니다.

2번 또는 3번 그림의 물음표 말풍선을 해결하기 전 아이들의 생각을 먼저 물어봐 주세요.

8

상황 속 인물의 말과 행동을 이해
이야기 속 등장인물의 행동과 대화를 바탕으로 이유를 추론하고, 적절한 반응을 고르며, 자신의 생각을 표현하는 능력을 기르는 문제입니다.

대화 추론 아래의 만화를 읽고 물음에 알맞은 답을 찾아보세요.

나라면 어떻게 말할지 채워보세요.

1. 오늘은 왜 용이가 강아지에게 밥을 주었나요?
① 엄마가 부탁해서
② 엄마가 안계셔서
③ 엄마가 바쁘셔서
④ 엄마가 화나있어서

2. 강아지가 밥을 너무 많이 먹으면 어떻게 될까요?

살찐다	아프다
배고프다	더러워진다

3. 엄마가 하실 말씀으로 알맞은 것을 고르세요.
① 망고는 피부가 안 좋아서 많이 먹으면 안 돼.
② 망고가 너무 많이 먹으면 살쪄 적당히 줘.
③ 망고는 망고만 먹을 수 있어.
④ 망고가 많이 먹으면 너를 물 거야 조심해.

4. 용이는 앞으로 강아지에게 밥을 줄 때 어떻게 해야 할지 써보세요.

18 언어치료 도구상자 10편 / 화용언어 상황추론 워크북

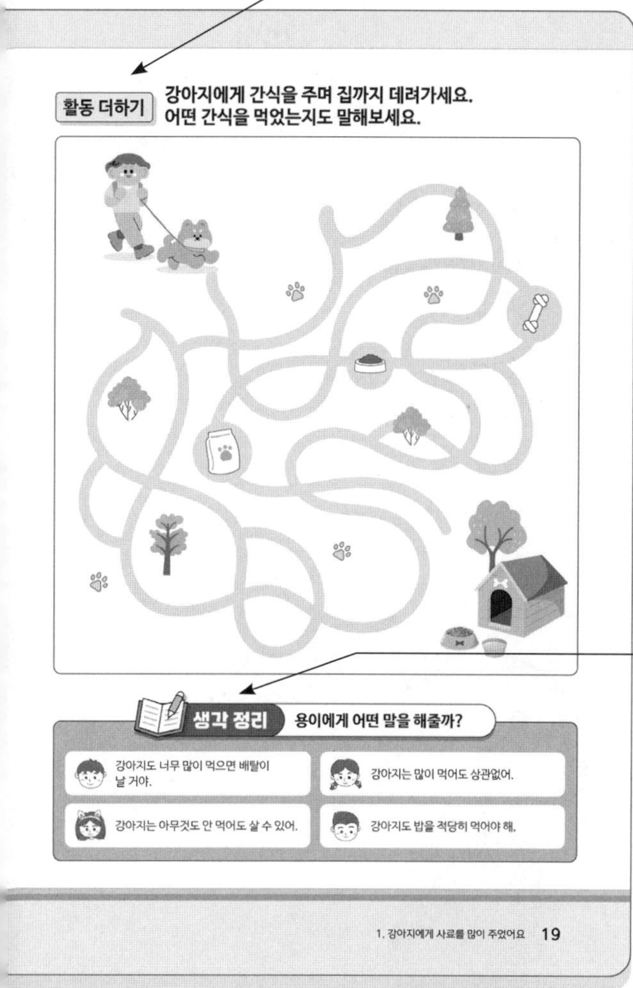
활동 더하기 강아지에게 간식을 주며 집까지 데려가세요.
어떤 간식을 먹었는지도 말해보세요.

생각 정리 용이에게 어떤 말을 해줄까?

강아지도 너무 많이 먹으면 배탈이 날 거야.
강아지는 많이 먹어도 상관없어.
강아지는 아무것도 안 먹어도 살 수 있어.
강아지도 밥을 적당히 먹어야 해.

1. 강아지에게 사료를 많이 주었어요 19

9

활동 더하기

재미있는 활동을 통해 **문제상황을 다시 한번 생각**해 볼 수 있는 활동입니다.

활동을 통해 아이들과 자연스러운 분위기를 연출하고 문제상황에 대한 아이들의 속마음 및 경험을 들어볼 수 있는 시간으로 만들어 보세요.

10

생각 정리

아이들이 **다양한 관점을 읽고 비교**하며 자신의 생각을 정리하고 표현하는 능력을 기를 수 있도록 구성하였습니다.

이 활동은 단순한 정답 찾기를 넘어, 아이들이 생각하는 힘과 말하는 힘을 함께 키울 수 있도록 돕습니다.

캐릭터 소개

상황 속 친구들과 함께 생각해요!

용이, 양이, 범이, 멍이 그리고 승우, 예나, 지아, 이준이! 이 친구들과 함께 그림 속 상황을 살펴보고, 말하고, 느끼며 진짜 소통의 힘을 키워봐요. 각각의 이야기 속에서 서로의 마음을 추론하고, 어떻게 행동하면 좋을지 함께 생각해 보아요.

용이
호기심이 많고
모험을 좋아해요

양이
예쁜 것을 좋아하고
조심성이 많아요

범이
에너지가 많고
친구들과 노는 것을
좋아해요

멍이
시끄러운 것을
싫어하는 조용한
사고뭉치예요

승우

- 궁금한 것을 못 참고, 호기심이 가득해요
- 인사성이 밝아요

예나

- 반짝거리는 것과 예쁜 것을 좋아해요
- 고집이 세고 하고, 싫은 것과 하기 싫은 것이 분명해요

지아

- 엉뚱한 생각을 많이 해요
- 자연을 좋아해요

이준

- 에너지가 넘쳐서 뛰어다니는 것을 좋아해요
- 생각한 것을 바로 행동에 옮기는 행동파예요

워크북 순서

동물 주인공 1	1	강아지에게 사료를 많이 주었어요	16
	2	모락모락 뜨거운 김을 만지려고 해요	20
	3	맞지 않은 옷을 억지로 입으려 고집부려요	24
	4	강아지 사료가 궁금해서 먹었어요	28
	5	핸드폰으로 유튜브를 계속 보고 싶어요	32
	6	세탁기 안에 쌀을 넣었어요	36
	7	싱크대 위에 위험하게 올라갔어요	40
	8	블록 맛이 궁금해서 입에 넣었어요	44
	9	변기에 물건을 넣었어요	48
동물 주인공 2	10	천장에 달린 선풍기를 만져볼래요	54
	11	엄마 가방 안에 있는 물건을 다 꺼냈어요	58
	12	추워도 싫다고 옷을 안 입어요	62
	13	나뭇잎을 베란다 밖으로 던졌어요	66
	14	책장을 타고 올라가 장난감을 꺼내려 했어요	70
	15	어항 속에 장난감을 넣었어요	74
	16	엘리베이터 버튼을 전부 눌렀어요	78
	17	계단을 빠르게 뛰어 내려갔어요	82
	18	화단에 쉬를 했어요	86
	19	쓰레기를 아무 곳에나 버리려고 했어요	90
	20	남의 카드로 결제하려 했어요	94
사람 주인공 1	21	냄새도 맛도 싫어서 반찬을 안 먹었어요	100
	22	화장실에서 물장난을 쳤어요	104
	23	약은 맛이 없어서 먹기 싫어요	108
	24	급식실에서 새치기하려고 했어요	112

사람 주인공 1	25	모르는 사람에게 먹고 싶은 것을 말했어요	116
	26	앉을 자리가 없어서 비켜달라고 했어요	120
	27	주차장에서 지하 3층만 고집해요	124
	28	5호기 엘리베이터만 탈 거예요	128
	29	병원 가기 싫다고 울면서 버텨요	132
	30	아는 사람인 줄 알고 인사했어요	136
	31	엘리베이터 문이 열리자 바로 탔어요	140
	32	엘리베이터 안에서 크게 웃었어요	144
	33	안전띠는 답답해서 풀었어요	148
	34	앞을 보지 않고 걷다가 나무에 부딪혔어요	152
	35	계산하지 않고 아이스크림을 먼저 먹었어요	156
	36	음악 시간에 노랫소리가 시끄럽다고 귀를 막고 소리를 질렀어요	160
	37	게임에서 져서 게임판을 던졌어요	164
	38	친구의 티셔츠를 갑자기 만졌어요	168
	39	준비운동도 안 하고 물에 뛰어 들어갔어요	172
	40	수영복은 답답해서 입기 싫어요	176
	41	달리는 차 창밖으로 머리와 손을 내밀었어요	180
	42	늦은 밤에 악기를 연주했어요	184
	43	영화관에서 갑자기 일어나서 만세를 외쳤어요	188
	44	무단횡단을 하려고 했어요	192
	45	립밤을 바르기 싫어하다 입술이 터졌어요	196
	46	더 먹고 싶어서 친구 반찬을 뺏으려고 했어요	200

사람 주인공 2	47	공중화장실에서 문을 열어둔 채로 쉬를 했어요	206
	48	방귀를 참지 않고 뀌었어요	210
	49	도서관에서 뛰어다녀요	214
	50	집에서 신나게 뛰었어요	218

동물 주인공 1

1	강아지에게 사료를 많이 주었어요
2	모락모락 뜨거운 김을 만지려고 해요
3	맞지 않은 옷을 억지로 입으려 고집부려요
4	강아지 사료가 궁금해서 먹었어요
5	핸드폰으로 유튜브를 계속 보고 싶어요
6	세탁기 안에 쌀을 넣었어요
7	싱크대 위에 위험하게 올라갔어요
8	블록 맛이 궁금해서 입에 넣었어요
9	변기에 물건을 넣었어요

1 강아지에게 사료를 많이 주었어요

어휘 풀이

- ☐ **담당**
  명사 어떤 일을 책임지고 맡는 것
- ☐ **초대**
  명사 사람을 불러 대접함
- ☐ **대신하다**
  동사 다른 사람 일을 자기가 맡는 것
- ☐ **많이**
  형용사 가득하다, 넉넉하다
- ☐ **붓다**
  동사 따르다

우리 집 강아지 망고는 가족마다 맡은 **담당**이 있어요. 목욕은 아빠가 담당, 산책은 엄마가 담당, 놀아주는 건 내가 담당이에요. 오늘은 엄마가 친구들을 **초대**하셔서 아주 바쁘셨어요. 그래서 나는 엄마를 **대신해** 망고에게 밥을 줬어요. 망고 밥그릇에 사료를 조금만 주려다가, 망고가 좋아하는 모습을 보니까 나도 모르게 사료를 **많이 부었어요.**

다음 문장을 읽고 위 내용과 맞으면 O, 틀리면 X에 체크하세요.

	O	X
· 망고는 우리 집 고양이에요.	☐	☐
· 망고의 목욕 담당은 아빠예요.	☐	☐
· 나는 망고의 놀이 담당이에요.	☐	☐
· 사료를 부어주자, 망고가 짖었어요.	☐	☐
· 나는 망고에게 사료를 조금만 주었어요.	☐	☐

상황 이해 다음 질문에 적절한 답을 찾아보세요.

1. 이곳은 어디인가요?

동물병원	집	학교	영화관

2. 누구의 행동이 이상한가요?

아빠	용이	선생님	꿀이

3. 강아지에게 무엇을 주었나요?

강아지 물	강아지 신발	강아지 옷	강아지 밥

4. 용이는 강아지에게 밥을 얼만큼 주었나요?

많이	정해진 양	한 개	한 컵

5. 강아지에게 밥을 주고 있는 용이는 어떤 표정을 지었나요?

속상한 표정	두려운 표정	화나는 표정	행복한 표정

어휘 체크 다음 어휘와 어울리는 문장을 찾아 선을 긋고 알맞은 형태로 써보세요.

붓다 •	• 오늘 청소 _________ 은 아빠예요.
초대 •	• 형이 나를 _______________ 요리를 했어요.
담당 •	• 유자차를 마시려고 컵에 물을 _________.
많다 •	• 생일 파티에 __________되어 신나요.
대신하다 •	• 엄마가 사과를 _________ 사 오셨어요.

대화 추론 아래의 만화를 읽고 물음에 알맞은 답을 찾아보세요.

나라면 어떻게 말할지 채워보세요.

....

....

....

1. 오늘은 왜 용이가 강아지에게 밥을 주었나요?

① 엄마가 부탁해서

② 엄마가 안계셔서

③ 엄마가 바쁘셔서

④ 엄마가 화나있어서

2. 강아지가 밥을 너무 많이 먹으면 어떻게 될까요?

살찐다	아프다
배고프다	더러워진다

3. 엄마가 할 말로 알맞은 것을 고르세요.

① 망고는 피부가 안 좋아서 많이 먹으면 안 돼.

② 망고가 너무 많이 먹으면 살쪄 적당히 줘.

③ 망고는 망고만 먹을 수 있어.

④ 망고가 많이 먹으면 너를 물 거야 조심해.

4. 용이는 앞으로 강아지에게 밥을 줄 때 어떻게 해야 할지 써보세요.

....

활동 더하기 강아지에게 간식을 주며 집까지 데려가세요.
어떤 간식을 먹었는지도 말해보세요.

생각 정리 용이에게 어떤 말을 해줄까?

- 강아지도 너무 많이 먹으면 배탈이 날 거야.
- 강아지는 많이 먹어도 상관없어.
- 강아지는 아무것도 안 먹어도 살 수 있어.
- 강아지도 밥을 적당히 먹어야 해.

2 모락모락 뜨거운 김을 만지려고 해요

어휘 풀이

☐ **배고프다**
형용사 속이 비어서 음식이 먹고 싶다.

☐ **끓이다**
동사 국이나 차 같은 것을 만들다

☐ **모락모락**
부사 연기나 냄새, 김 따위가 조금씩 피어오르는 모양

☐ **신기하다**
형용사 놀랍고 이상하다

☐ **화상**
명사 불이나 뜨거운 열에 데어서 생긴 상처

6시가 되자 **배고파서** 배에서 꼬르륵 소리가 났어요. 엄마는 내가 좋아하는 소고기뭇국을 **끓이고** 계셨어요. 맛있는 냄새가 나서 주방으로 달려갔어요. 냄비 위로 **모락모락** 하얀 김이 올라왔어요. 나는 "와, 연기 같다! 너무 **신기해요**!"하며 손을 뻗었어요. 그때 엄마가 깜짝 놀라며 말했어요. "뜨거운 김을 만지면 **화상**을 입을 수 있으니까 가까이 가지 마!"

O X

다음 문장을 읽고 위 내용과 맞으면 O, 틀리면 X에 체크하세요.

	ⓞ	ⓧ
· 이 곳은 주방이에요.	☐	☐
· 엄마는 미역국을 끓이고 있어요.	☐	☐
· 범이는 뜨거운 김을 만지려 했어요.	☐	☐
· 뜨거운 것을 만지면 화상을 입을 수 있어요.	☐	☐
· 오늘은 차가운 아이스크림을 먹기로 했어요.	☐	☐

상황 이해 다음 질문에 적절한 답을 찾아보세요.

1. 이곳은 어디인가요?

화장실	주방	거실	베란다

2. 엄마는 무엇을 하는 중인가요?

설거지	요리	옷입기	장보기

3. 누구의 행동이 이상한가요?

범이	형	엄마	할머니

4. 범이는 무엇을 하려고 했나요?

물 마시기	냄비 꺼내기	뜨거운 김 만지기	엄마에게 국자 드리기

5. 모락모락 올라오는 김을 본 범이는 어떤 표정을 지었나요?

행복한 표정	귀찮은 표정	신기한 표정	무서운 표정

어휘 체크 다음 어휘와 어울리는 문장을 찾아 선을 긋고 알맞은 형태로 써보세요.

어휘	문장
신기하다 •	• 친구는 피부에 __________을 입어서 병원에 갔어요.
모락모락 •	• 주전자에 보리차를 끓이니 김이 ______________ 올라왔어요.
화상 •	• 아빠가 할머니 드리려고 콩나물국을 __________ 있어요.
배고프다 •	• 아침에 아무것도 안 먹었더니 ______________.
끓이다 •	• 바위에 그림이 그려져 있어서 ______________.

대화 추론 아래의 만화를 읽고 물음에 알맞은 답을 찾아보세요.

나라면 어떻게 말할지 채워보세요.

....

....

....

1. 범이는 왜 모락모락 올라오는 뜨거운 김을 만지려고 했나요?

① 연기같아 보이고 신기해서

② 솜사탕처럼 생겨서

③ 전에 만져본적이 있어서

④ 부드러운 느낌이 들 것 같아서

2. 모락모락 올라오는 뜨거운 김을 만지면 손이 어떻게 될까요?

간지럽다	화상입는다
커진다	작아진다

3. 엄마가 할 말로 알맞은 것을 고르세요.

① 만지면 간지러울거야.

② 만지면 안돼! 화상입을 수 있어!

③ 궁금하지? 한번 만져봐.

④ 눈으로만 봐! 만지면 따가워.

4. 뜨거운 냄비나 그릇을 만져야 할 땐 어떻게 해야 할지 써보세요.

....

활동 더하기 그림 속 엄마에게 필요한 물건과, 범이가 할 말로 알맞은 것을 오려 붙여 주세요.

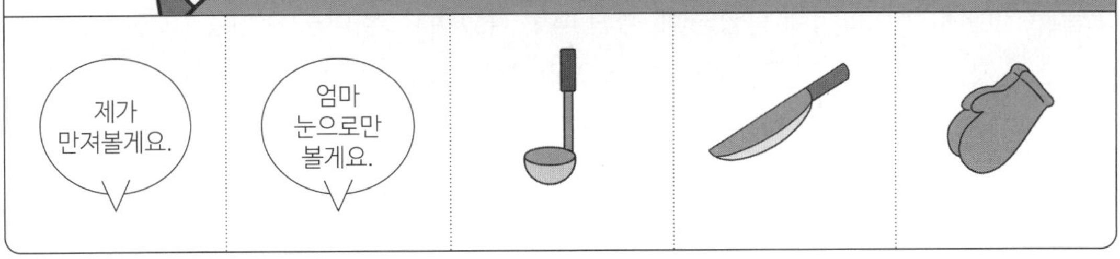

생각 정리 범이에게 어떤 말을 해줄까?

- 궁금하지만 참고 눈으로만 봐~
- 연기랑 똑같이 생겨서 귀엽다.
- 엄마 말씀은 지키지 않아도 괜찮아.
- 화상 입을 수 있어 만지지 말아야 해.

3 맞지 않은 옷을 억지로 입으려 고집부려요

어휘 풀이

- □ **티셔츠** 명사 'T'자 모양으로 생긴 셔츠
- □ **마음에 들다** 관용구 마음에 좋게 여겨지다
- □ **매일** 부사 하루도 빠짐없이
- □ **작다** 형용사 기준보다 덜 하거나 크지 않다
- □ **버리다** 동사 필요가 없는 것을 내던지거나 쏟거나 하다

작년 추석에 할머니가 꽃무늬 **티셔츠**를 사주셨어요. **마음에 쏙 들어서** 그날부터 **매일** 입고 다녔죠. 그런데 어느 날 보니 티셔츠가 **작아**져서 배가 보였어요. 엄마는 이제 못 입는다고 **버리자**고 하셨어요. 나는 "안 돼! 이건 내가 제일 좋아하는 티셔츠야!" 하며 안 된다고 했어요. 오늘 유치원에 가려고 꺼내 입었는데, 정말 너무 작았어요. 엄마는 대신 꽃 그림이 있는 새 티셔츠를 사 주셨어요. 그런데 색이 보라색이라서 별로 마음에 들지 않았어요.

다음 문장을 읽고 위 내용과 맞으면 O, 틀리면 X에 체크하세요.

	O	X
· 양이는 어린이집에 다녀요.	□	□
· 할머니가 하트 티셔츠를 사주셨어요.	□	□
· 할머니가 사주신 티셔츠는 커서 입을 수 없어요.	□	□
· 엄마는 작아진 티셔츠를 버렸어요.	□	□
· 엄마는 보라색 티셔츠를 사주셨어요.	□	□

상황 이해 다음 질문에 적절한 답을 찾아보세요.

1. 이곳은 어디인가요?

학교	집	수족관	영화관

2. 무엇을 하는 상황인가요?

옷 벗는 상황	옷 입는 상황	양말 신는 상황	신발 신는 상황

3. 누구의 행동이 이상한가요?

할머니	언니	양이	엄마

4. 양이는 무엇을 입으려고 했나요?

작아진 티셔츠	작아진 치마	작아진 모자	작아진 양말

5. 양이는 작아져서 입지 못하는 티셔츠를 보자 어떤 표정을 지었나요?

무서운 표정	아쉬운 표정	행복한 표정	고마운 표정

어휘 체크 다음 어휘와 어울리는 문장을 찾아 선을 긋고 알맞은 형태로 써보세요.

매일 •	• ________ 일찍 잤더니 키가 커진 것 같아요.
티셔츠 •	• 다 먹은 음료수 캔을 ____________.
버리다 •	• 옷 가게에서 파란색 ________를 샀어요.
마음에 들다 •	• 할머니에게 선물 받은 티셔츠가 이제는 ________.
작다 •	• 아빠가 사 온 자동차 장난감이 ____________.

대화 추론 아래의 만화를 읽고 물음에 알맞은 답을 찾아보세요.

나라면 어떻게 말할지 채워보세요.

....

....

....

1. 엄마는 왜 할머니가 사주신 티셔츠를 버리자고 했을까요?

① 작아져서 이제는 못 입기 때문에

② 마음에 쏙 들기 때문에

③ 큰 옷을 싫어하기 때문에

④ 작다고 버리면 아깝기 때문에

2. 맞지 않은 옷을 입으면 어떻게 될까요?

덥다	불편하다
춥다	아프다

3. 양이가 할 말로 알맞은 것을 고르세요.

① 몸에 맞는 옷을 입지 않을 거예요.

② 저에게 작아졌으니 엄마가 입으세요.

③ 작아져도 괜찮아요. 그냥 입을 거예요.

④ 작아져서 속상해요.
이거랑 똑같고 사이즈 큰 옷 사주세요.

4. 내 몸이 커져서 더 이상 나에게 맞지 않은 옷은 어떻게 해야 할지 써보세요.

....

활동 더하기 양이에게 옷을 입혀 보세요.
그리고 어떤 옷을 입혔는지 말해 보세요.

생각 정리 양이에게 어떤 말을 해줄까?

- 엄마 옷을 입어 보자.
- 작아진 옷은 이제 버리자.
- 아쉽지만 맞는 옷을 입자.
- 작아도 괜찮아 무조건 입어 봐.

4 강아지 사료가 궁금해서 먹었어요

어휘 풀이

□ **유기견**
명사 주인이 돌보지 않고 내다 버린 개

□ **사료**
명사 먹이, 모이

□ **담다**
동사 물건을 그릇 등에 넣다

□ **궁금하다**
형용사 무엇을 알고 싶어 마음이 답답함

□ **먹다**
동사 먹을 것을 씹거나 삼켜서 배속에 넣다

망고는 우리 집 강아지 이름이에요. 아빠, 엄마와 **유기견** 보호소에 갔다가 너무 예뻐서 집으로 데려왔어요. 우리 집 막내가 된 망고를 위해, 내가 아끼는 그릇을 **사료** 그릇으로 쓰기로 했어요. 그릇에 **담긴** 사료가 과자처럼 보여서, 무슨 맛일지 너무 **궁금했어요**. 그래서 망고 밥그릇에 사료를 가득 부어 주고, 망고가 **먹는** 걸 옆에서 지켜봤어요. 그런데 나도 모르게 한 알 집어 먹어봤어요. 엇! 이게 무슨 맛이죠...?

다음 문장을 읽고 위 내용과 맞으면 O, 틀리면 X에 체크하세요.

	O	X
· 강아지의 이름은 포도예요.	□	□
· 강아지를 유기견 보호소에서 데려왔어요.	□	□
· 내가 아끼는 그릇을 사료 그릇으로 쓰기로 했어요.	□	□
· 사료는 별사탕처럼 생겼어요.	□	□
· 용이는 먼저 강아지 사료를 한 입 먹었어요.	□	□

상황 이해 다음 질문에 적절한 답을 찾아보세요.

1. 그릇에 무엇이 담겨있나요?

강아지 밥	강아지 옷	강아지 물	강아지 신발

2. 누구의 행동이 이상한가요?

친구	용이	엄마	누나

3. 무엇을 하려고 했나요?

강아지와 산책하기	강아지 밥 맛보기	강아지 옷 입히기	강아지 목욕시키기

4. 강아지가 먹는 밥을 뭐라고 하나요?

과자	사료	간식	주스

5. 용이가 강아지의 밥을 보았을 때 어떤 표정을 지었나요?

짜증 나는 표정	슬픈 표정	궁금한 표정	두려운 표정

어휘 체크 다음 어휘와 어울리는 문장을 찾아 선을 긋고 알맞은 형태로 써보세요.

궁금하다 •	• 마트에 가서 고양이 ________를 샀어요.
사료 •	• 음식을 그릇에 ________.
먹다 •	• 식당에 가서 스파게티를 ________.
유기견 •	• ________ 보호 센터에 가서 강아지들과 놀아주었어요.
담다 •	• 형이 왜 고양이를 좋아하는지 ________.

대화 추론 아래의 만화를 읽고 물음에 알맞은 답을 찾아보세요.

나라면 어떻게 말할지 채워보세요.

....

....

....

1. 용이는 왜 강아지 밥을 먹으려고 했나요?

① 배가 고프기 때문에.

② 모양이 특이하기 때문에.

③ 과자처럼 보였기 때문에.

④ 전에 먹어본 음식이기 때문에.

2. 사람이 강아지 밥을 먹으면 어떻게 될까요?

건강해진다	키가 커진다
배가 아프다	머리가 아프다

3. 엄마가 할 말로 알맞은 것을 고르세요.

① 강아지 밥이잖아. 먹지마!

② 과자처럼 생겼으니 먹어도 돼.

③ 강아지가 화나서 너를 물 거야.

④ 강아지한테 양보하렴. 강아지한테 발라주자.

4. 친구가 동물 사료의 맛이 궁금해서 먹으려고 할 때 어떻게 말해줘야 할지 써보세요.

....

활동 더하기 강아지가 먹을 수 있는 것을 찾아서 붙여보세요.

생각 정리 용이에게 어떤 말을 해줄까?

- 강아지 밥이야. 궁금해도 먹지 말자.
- 너는 할 게 없어서 강아지 밥을 먹니?
- 강아지 밥에는 독이 있어.
- 나도 강아지 밥이 무슨 맛일지 궁금해.

5 핸드폰으로 유튜브를 계속 보고 싶어요

어휘 풀이

☐ **유튜브**
명사 구글이 운영하는 동영상 공유 서비스

☐ **금방**
부사 곧, 갓, 곧바로

☐ **충혈되다**
동사 핏줄이나 살갗이 빨갛게 되는 것

☐ **건조하다**
형용사 말라서 습기가 없다

☐ **안과**
명사 눈에 관계된 질환을 연구하고 치료하는 의학 분야

저녁을 먹고 나면, 30분 동안 내가 보고 싶은 **유튜브**를 볼 수 있어요. 이 시간이 정말 신나요! 그런데 항상 **금방** 지나가 버려요. 오늘도 재밌게 보고 있는데, 엄마가 "이제 30분 지났어"라고 하셨어요. "에이, 아직 3분밖에 안 지난 것 같은데요?" 그때 엄마가 내 눈을 보시더니, 뭔가 이상하다고 하셨어요. 거울을 보니 눈이 빨갛게 **충혈돼** 있었어요. 괜찮을 줄 알았는데, 눈이 너무 **건조해서** 깜빡이기도 불편했어요. 엄마는 "내일 **안과** 가 보자"라고 하셨어요. 내 눈, 다시 괜찮아질 수 있겠죠?

다음 문장을 읽고 위 내용과 맞으면 O, 틀리면 X에 체크하세요.

	O	X
· 아침에 일어나면 30분 동안 유튜브를 볼 수 있어요.	☐	☐
· 유튜브 보는 시간이 너무 길어 지루해요.	☐	☐
· 유튜브를 보다가 콧물이 났어요.	☐	☐
· 눈이 건조해서 깜빡이기도 불편했어요.	☐	☐
· 엄마는 눈이 괜찮아 보인다고 하셨어요.	☐	☐

상황 이해 다음 질문에 적절한 답을 찾아보세요.

1. 이곳은 어디인가요?

유치원	바다	산	집

2. 누구의 행동이 이상한가요?

엄마	아빠	범이	할아버지

3. 범이는 무엇을 하고 있나요?

유튜브 보기	게임하기	블록 만들기	종이접기

4. 범이는 왜 눈이 빨개졌나요?

너무 많이 뛰어다녀서	핸드폰을 많이 봐서	음악을 많이 들어서	밥을 많이 먹어서

5. 범이가 약속한 시간 보다 많이 보려고 하자 엄마는 어떤 표정을 지었나요?

화나는 표정	대견한 표정	지루한 표정	귀찮은 표정

어휘 체크 다음 어휘와 어울리는 문장을 찾아 선을 긋고 알맞은 형태로 써보세요.

어휘	문장
안과 •	• 멋진 가수가 춤추는 영상을 ________로 보았어요.
유튜브 •	• 입술이 ____________ 피가 났어요.
건조하다 •	• 형이 블록으로 성을 ________ 만들어 준다고 했어요.
금방 •	• ________에 가서 눈 검사를 했어요.
충혈되다 •	• 눈병에 걸려 눈이 ____________.

대화 추론 아래의 만화를 읽고 물음에 알맞은 답을 찾아보세요.

나라면 어떻게 말할지 채워보세요.

....

....

....

1. 범이는 왜 핸드폰으로 유튜브를 계속 보고 싶어 했나요?

① 유튜브 영상이 짧아서

② 유튜브 영상이 재미있어서

③ 유튜브 영상이 무서워서

④ 유튜브 영상을 만들고 싶어서

2. 범이는 핸드폰을 오랫동안 보아서 눈이 어떻게 되었나요?

충혈됐다	튀어나왔다
작아졌다	커졌다

3. 엄마가 할 말로 알맞은 것을 고르세요.

① 핸드폰 보느라 안 깜빡거려서 그렇지!

② 핸드폰 보느라 눈이 작아져서 그렇지!

③ 핸드폰 보느라 입을 벌려서 그렇지!

④ 핸드폰 보느라 코를 막아서 그렇지!

4. 올바른 핸드폰 사용법에는 무엇이 있을지 써보세요.

....

활동 더하기 친구에게 핸드폰을 꺼야 할 때를 알려 주세요.

생각 정리 범이에게 어떤 말을 해줄까?

- 엄마와의 약속을 잘 지켜야 해.
- 핸드폰 보는 시간 조절하는 건 중요해.
- 엄마와의 약속은 중요하지 않아.
- 핸드폰을 보고 싶은 만큼 봐도 돼.

6 세탁기 안에 쌀을 넣었어요

어휘 풀이

□ 명사	**세탁기**	빨래하는 기계
□ 명사	**구멍**	패거나 뚫린 자리
□ 관용구	**셀 수 없이**	매우 많이 혹은 무수히 많이, 넉넉히, 매우
□ 동사	**채우다**	메우다, 보충하다
□ 명사	**고장**	물건이 망가지는 것

평소에 엄마가 베란다에서 무엇을 하시는지 궁금했어요. 그래서 엄마 몰래 베란다에 나가 봤더니, 거기엔 **세탁기**가 있었어요. 세탁기 안을 들여다보니, 안쪽에 **구멍**이 **셀 수 없이** 많이 있었어요. 그 구멍을 보자 뭔가를 **채우고** 싶은 생각이 들었어요. 주위를 살펴보니 쌀이 보였고, 나는 그 쌀을 세탁기 구멍에 넣으려고 했어요. 하지만 그때 엄마가 나를 부르셨어요. 다행히 아직 쌀을 넣지는 않았어요. 엄마는 "세탁기에 이상한 걸 넣으면 **고장**이 날 수 있어. 세탁기에는 빨래만 넣어야 해"라고 말씀하셨어요. 나는 고개를 끄덕이며, 다시는 함부로 뭔가를 넣지 않기로 다짐했어요.

다음 문장을 읽고 위 내용과 맞으면 O, 틀리면 X에 체크하세요.

	O	X
· 세탁기는 화장실에 있어요.	□	□
· 세탁기 안에는 여러 개의 구멍이 있어요.	□	□
· 멍이는 세탁기 안에 쌀을 넣었어요.	□	□
· 세탁기에는 빨래만 넣어야 해요.	□	□
· 엄마의 말을 들은 멍이는 화가 났어요.	□	□

상황 이해 다음 질문에 적절한 답을 찾아보세요.

1. 이곳은 어디인가요?

집	학교	백화점	빨래방

2. 누구의 행동이 이상한가요?

삼촌	엄마	할머니	멍이

3. 무엇을 하려고 했나요?

세탁기 안에 쌀 넣기	세탁기 안에 들어가기	세탁기 안 구경하기	세탁기 안에 옷 넣기

4. 멍이의 행동을 본 엄마는 어떤 말을 하였나요?

세제도 함께 넣어야지	고장이 날 수 있어	나사가 빠질 수 있어	세탁기가 꺼질 수 있어

5. 멍이가 세탁기 안에 쌀을 넣으려고 하자 엄마는 어떤 표정을 지었나요?

슬픈 표정	웃는 표정	행복한 표정	당황한 표정

어휘 체크 다음 어휘와 어울리는 문장을 찾아 선을 긋고 알맞은 형태로 써보세요.

셀 수 없이 •	• 더러운 옷을 ________ 넣고 빨았더니 깨끗해졌어요.
고장 •	• 장난감이 ________ 나서 소리가 안 나요.
세탁기 •	• 밤하늘에 별이 ________ 많아요.
구멍 •	• 개미가 ________ 속으로 들어갔어요.
넣다 •	• 사과를 상자에 ________.

대화 추론 아래의 만화를 읽고 물음에 알맞은 답을 찾아보세요.

나라면 어떻게 말할지 채워보세요.

....

....

....

1. 멍이는 왜 세탁기 구멍에 쌀을 넣고 싶어 했나요?

① 구멍을 보니 막고 싶어서

② 구멍을 보니 징그러워서

③ 구멍을 보니 무서워서

④ 구멍을 보니 무언가 넣고 싶어서

2. 세탁기 구멍 안에 쌀을 넣으면 세탁기가 어떻게 되나요?

고장 난다	깨끗해진다
커진다	작아진다

3. 엄마가 할 말로 알맞은 것을 고르세요.

① 아유~ 착해라 엄마일 도와주는구나.

② 뭐?! 큰일 나! 세탁기 고장 나!

③ 세탁기 구경 많이 하렴.

④ 얼른 갖고 나와라.

4. 만약 세탁기 안에 물건을 넣어 고장이 났다면 어떻게 해야 할지 써보세요

....

활동 더하기 빨래하려는 멍이 옆에 필요한 것을 붙여보세요.

생각 정리 멍이에게 어떤 말을 해줄까?

세탁기 안에는 빨래할 옷만 넣어야 해.

세탁기 안을 들여다보는 건 위험해.

엄마 말씀 듣지 말고, 하고 싶은 대로 하자.

세탁기는 우리가 갖고 놀아도 되는 물건이야.

7 싱크대 위에 위험하게 올라갔어요

어휘 풀이

☐ **숟가락**
명사 밥이나 국물 따위를 떠먹는 기구

☐ **싱크대**
명사 개수대

☐ **서랍**
명사 끼웠다 빼었다 하게 만든 뚜껑이 없는 상자

☐ **올라가다**
동사 기어오르다

☐ **아래**
명사 어떤 기준보다 낮은 위치

요플레가 먹고 싶어서 냉장고에서 꺼냈어요. 그런데 **숟가락**이 보이지 않았어요. 엄마에게 물어보니 "**싱크대 서랍** 안에 있어"라고 하셨어요. 나는 서랍이 높은 곳에 있는 줄 알고, 서랍을 열고 그 위에 **올라가** 보기로 했어요. 엄마가 나를 보시고 깜짝 놀라 달려오셨어요. "떨어지면 다쳐! 거긴 아니야!" 하고 소리치셨어요. 알고 보니 서랍은 **아래**에 있었어요. 엄마와 함께 싱크대 아래 서랍을 열어보니, 그 안에 숟가락이 많이 들어 있었어요. 다음부터는 꼭 물어보고 찾기로 했어요.

다음 문장을 읽고 위 내용과 맞으면 O, 틀리면 X에 체크하세요.

	O	X
· 꿀이는 요플레를 꺼내려고 싱크대 문을 열었어요.	☐	☐
· 꿀이는 숟가락을 찾으려고 서랍을 열고 올라갔어요.	☐	☐
· 엄마는 서랍 위로 올라간 모습을 보고 달려오셨어요.	☐	☐
· 서랍은 싱크대 위에 있었어요.	☐	☐
· 서랍 안에는 숟가락이 없었어요.	☐	☐

상황 이해 다음 질문에 적절한 답을 찾아보세요.

1. 이곳은 어디인가요?

화장실	주방	베란다	거실

2. 누구와 누구의 대화인가요?

꿀이와 엄마	꿀이와 선생님	꿀이와 할머니	꿀이와 친구

3. 누구의 행동이 이상한가요?

누나	아빠	꿀이	엄마

4. 꿀이는 무엇을 찾으려고 했나요?

컵	숟가락	접시	포크

5. 싱크대 위로 올라가는 모습을 본 엄마는 어떤 마음이 들었을까요?

무서운 마음	기대되는 마음	깜짝 놀란 마음	즐거운 마음

어휘 체크 다음 어휘와 어울리는 문장을 찾아 선을 긋고 알맞은 형태로 써보세요.

아래 •	• 원숭이는 나무 꼭대기까지 ____________.
싱크대 •	• ____________ 안에서 포크를 꺼냈어요.
올라가다 •	• ____________으로 국물을 떠서 먹었어요.
서랍 •	• 할머니 집은 우리 ____________ 층이에요.
숟가락 •	• ____________ 위에 과일을 올려두었어요.

대화 추론 아래의 만화를 읽고 물음에 알맞은 답을 찾아보세요.

나라면 어떻게 말할지 채워보세요.

1. 꿀이는 왜 싱크대 위로 올라갔나요?

   ① 싱크대에서 춤추려고

   ② 싱크대에서 설거지하려고

   ③ 싱크대에서 숟가락 꺼내려고

   ④ 싱크대에 스티커 붙이려고

2. 싱크대 위에 올라가면 어떻게 될까요?

추워질 수 있다	떨어질 수 있다
화상을 입을 수 있다	배불러질 수 있다

3. 엄마가 할 말로 알맞은 것을 고르세요.

   ① 서랍은 아래에 있어~ 싱크대에 올라가면 위험해.

   ② 그냥 젓가락으로 먹으렴.

   ③ 아래 없으면 위에 올라가 봐.

   ④ 응 위에 있어~ 올라가서 찾아봐.

4. 높은 곳에 있는 물건을 꺼내고 싶을 때 어떻게 해야 할지 써보세요.

활동 더하기 싱크대에서 바르게 행동한 사람을 찾아 잘라 붙여보세요.

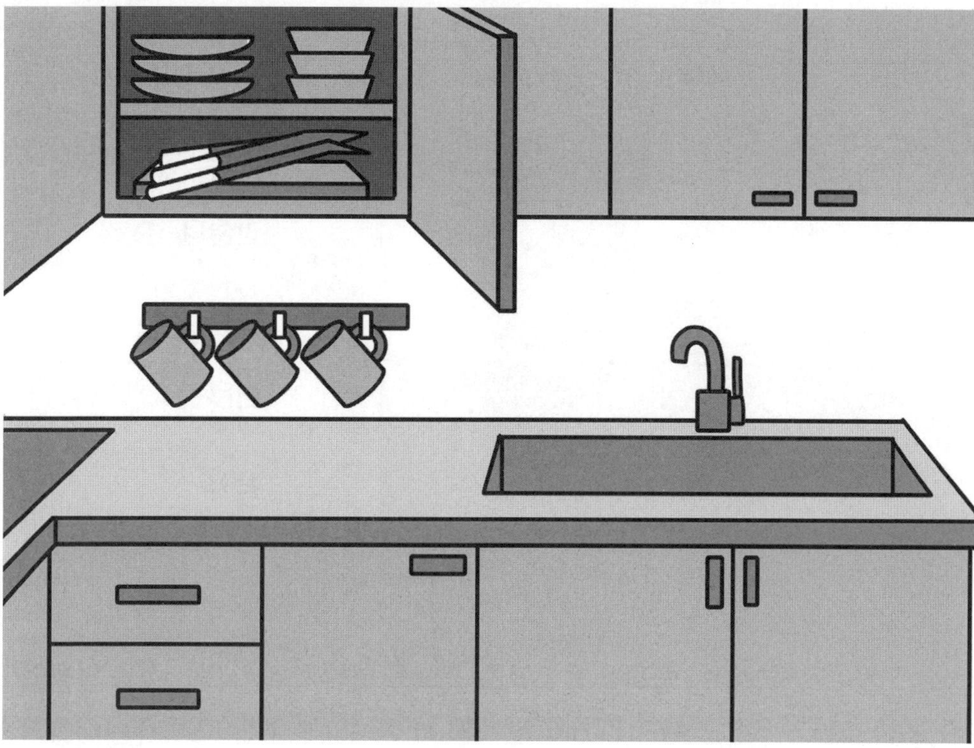

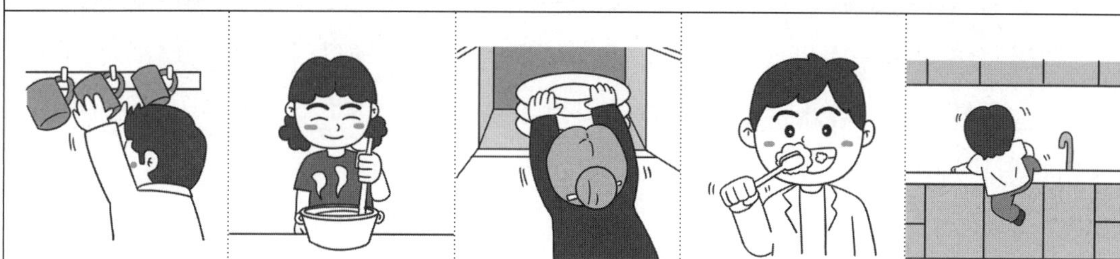

생각 정리 꿀이에게 어떤 말을 해줄까?

싱크대 위에 올라갔다가
떨어질 수 있어서 위험해.

싱크대는 엄마 거야 만지면 안 돼.

싱크대에 올라가서 뛰어내려 볼래?

싱크대 위에는 물기가 많아서
미끄러워서 위험해.

8 블록 맛이 궁금해서 입에 넣었어요

어휘 풀이

- ☐ **블록** 명사 쌓아 올리도록 만든 장난감
- ☐ **만들다** 동사 꾸미다
- ☐ **완성** 명사 완전히 다 이룸
- ☐ **먹다** 동사 들이마시다
- ☐ **음식** 명사 사람이 먹고 마시는 것

어린이날 선물로 알록달록한 **블록**을 받았어요. 블록을 하나씩 끼워 멋진 성을 **만들었어요**. **완성**된 걸 본 아빠가 "와! 진짜 멋진 성이 됐네!" 하고 칭찬해 주셨어요. 나는 이렇게 멋진 성을 만들 수 있는 블록이 무엇으로 만들어졌는지 궁금해졌어요. 색깔도 예쁘고 단단해서 문득 **먹어** 보면 무슨 맛일까 궁금했어요. 그래서 하나를 입에 넣으려는 순간, 아빠가 말렸어요. "그건 **음식**이 아니니까 먹으면 안 돼!" 나는 고개를 끄덕이며, 블록은 만드는 데만 써야겠다고 생각했어요.

다음 문장을 읽고 위 내용과 맞으면 O, 틀리면 X에 체크하세요.

	O	X
· 어린이날 선물로 블록을 받았어요.	☐	☐
· 양이는 블록으로 로봇을 만들었어요.	☐	☐
· 양이는 블록을 먹어보고 싶었어요.	☐	☐
· 양이는 블록을 입에 넣어 삼켜버렸어요.	☐	☐
· 아빠가 블록은 먹으면 안 된다고 했어요.	☐	☐

상황 이해 다음 질문에 적절한 답을 찾아보세요.

1. 이곳은 어디인가요?

캠핑장	집	도서관	장난감 가게

2. 누구의 행동이 이상한가요?

아빠	이모	양이	할아버지

3. 무엇을 하려고 했나요?

블록 입에 넣기	블록 정리하기	블록으로 만들기	블록 쏟기

4. 블록은 무엇을 할 때 쓰는 물건인가요?

먹을 때	만들 때	던질 때	씻을 때

5. 양이가 블록을 먹으려고 하자 아빠는 어떤 표정을 지었나요?

대견해하는 표정	속상한 표정	지루한 표정	놀란 표정

어휘 체크 다음 어휘와 어울리는 문장을 찾아 선을 긋고 알맞은 형태로 써보세요.

어휘	문장
만들다 •	• 아빠가 만들어준 스파게티를 맛있게 ______________.
먹다 •	• 아빠와 함께 퍼즐을 __________ 했어요.
완성 •	• 김치는 우리나라를 대표하는 __________ 이에요.
블록 •	• __________을 높이 쌓아 성을 만들었어요.
음식 •	• 모래로 모래성을 __________ 싶어요.

대화 추론 아래의 만화를 읽고 물음에 알맞은 답을 찾아보세요.

나라면 어떻게 말할지 채워보세요.

....

....

....

1. 양이는 왜 블록을 입에 넣었나요?

① 블록이 너무 커서

② 블록이 신기해서

③ 블록이 너무 작아서

④ 블록이 과자 같아서

2. 양이가 블록을 먹는다면 어떻게 될까요?

목이 빨개진다	목에 걸린다
목이 길어진다	목이 뜨거워진다

3. 아빠가 할 말로 알맞은 것을 고르세요.

① 먹으면 달콤할 거야.

② 무슨 맛일지 궁금하구나.

③ 아빠랑 같이 먹어보자.

④ 안돼! 목에 걸리면 큰일 나.

4. 먹으면 안 되는 것이 궁금할 때 어떻게 해야 할지 써보세요.

....

활동 더하기 그림 속 두 친구에게 어울리는 것을 골라 붙여보세요.

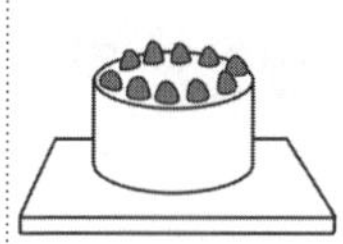

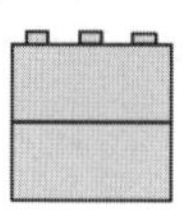

생각 정리 양이에게 어떤 말을 해줄까?

블록을 삼키면 병원에 가야 해.

블록을 먹으면 맛있어.

블록을 먹으려 하다니 정말 대단해!

블록을 먹어보지 말고 블록으로
나무 만들자.

9 변기에 물건을 넣었어요

어휘 풀이

- □ **변기** 명사 똥이나 오줌을 누도록 만든 기구
- □ **갑자기** 부사 생갈할 겨를도 없이 빨리
- □ **막히다** 동사 통하지 못하다
- □ **수리** 명사 고장난 것을 고치다
- □ **약속** 명사 앞으로 어떤 일을 어떻게 할 것인지 미리 정하는 것

변기 레버를 누르면 물이 내려가는 게 정말 신기해요. "혹시 뭐든지 넣고 눌러도 다 내려갈까?" 하는 생각이 들었어요. 그래서 몰래 지우개, 색종이, 연필을 변기에 넣고 레버를 눌렀어요. 처음엔 물이 내려가더니, **갑자기** 변기가 **막혀** 버렸어요! 엄마가 깜짝 놀라시며 말씀하셨어요. "변기에는 이물질을 넣으면 안 돼! 고장 나고 **수리** 아저씨를 불러야 한단다." 나는 조용히 고개를 숙였어요. 다음부터는 절대 아무거나 넣지 않기로 **약속**했어요.

다음 문장을 읽고 위 내용과 맞으면 O, 틀리면 X에 체크하세요.

	O	X
· 용이는 엄마의 허락을 받고 변기에 물건을 넣었어요.	□	□
· 변기에 물건을 넣어도 문제없이 작동했어요.	□	□
· 용이는 화장실 벽에 낙서해서 엄마에게 혼났어요.	□	□
· 용이는 변기 청소를 깨끗하게 했어요.	□	□
· 용이는 변기에 이물질을 넣지 않기로 약속했어요.	□	□

상황 이해 다음 질문에 적절한 답을 찾아보세요.

1. 이곳은 어디인가요?

화장실	주방	거실	현관

2. 누구와 누구의 대화인가요?

엄마와 아빠	엄마와 용이	용이와 강아지	용이와 범이

3. 누구의 행동이 이상한가요?

엄마	삼촌	이모	용이

4. 용이는 어떤 행동을 했나요?

변기를 그렸다	변기에 이물질을 넣었다	변기를 만들었다	변기를 닦았다

5. 용이가 변기에 이물질을 넣어 막힌다면 엄마는 어떤 마음이 들까요?

화나는 마음	대견한 마음	지루한 마음	귀찮은 마음

어휘 체크 다음 어휘와 어울리는 문장을 찾아 선을 긋고 알맞은 형태로 써보세요.

막히다 •	• ________가 막혀서 물이 안 내려가요.
변기 •	• ________ 비가 내렸어요.
갑자기 •	• 도로 공사를 해서 차가 ________.
수리 •	• 에어컨이 고장 나서 ________ 해요.
약속 •	• 칭찬 스티커 10개 모으면 선물을 사주기로 ________했어요.

대화 추론 아래의 만화를 읽고 물음에 알맞은 답을 찾아보세요.

나라면 어떻게 말할지 채워보세요.

....

....

....

1. 용이는 왜 변기에 물건을 넣었나요?

① 물이 내려가는 게 더러워서

② 물이 내려가는 게 신기해서

③ 물이 내려가는 걸 막고 싶어서

④ 물이 내려가는 걸 따라 하려고

2. 변기에 물건을 넣고 물을 내리면 어떻게 될까요?

깨끗해진다	막힌다
깨진다	커진다

3. 엄마가 할 말로 알맞은 것을 고르세요.

① 그냥 변기를 하나 더 만들어.

② 변기에 이물질을 넣으면 안 돼.

③ 너는 화장실을 참 좋아하는구나.

④ 그럼 엄마랑 변기 사러 갈까?

4. 변기에 물건을 넣어서 변기가 막혔을 때는 어떻게 해야 할지 써보세요.

....

활동 더하기 변기를 적절한 방법으로 사용하고 있는 친구들을 골라 보세요.

생각 정리 용이에게 어떤 말을 해줄까?

- 변기에 연필을 넣으면 안 돼.
- 변기에 아무거나 넣어도 괜찮아.
- 변기가 고장 나면 다시 사면돼.
걱정하지 마.
- 변기에 지우개 넣으면 막힐 수 있어.

동물 주인공 2

10	천장에 달린 선풍기를 만져볼래요
11	엄마 가방 안에 있는 물건을 다 꺼냈어요
12	추워도 싫다고 옷을 안 입어요
13	나뭇잎을 베란다 밖으로 던졌어요
14	책장을 타고 올라가 장난감을 꺼내려 했어요
15	어항 속에 장난감을 넣었어요
16	엘리베이터 버튼을 전부 눌렀어요
17	계단을 빠르게 뛰어 내려갔어요
18	화단에 쉬를 했어요
19	쓰레기를 아무 곳에나 버리려고 했어요
20	남의 카드로 결제하려 했어요

10 천장에 달린 선풍기를 만져볼래요

어휘 풀이

- ☐ **천장**
  명사 지붕의 안쪽
- ☐ **돌아가다**
  동사 물체가 한곳에서 계속 돌다
- ☐ **시원하다**
  형용사 덥거나 춥지 아니하고 알맞게 서늘하다
- ☐ **느끼다**
  동사 겪다, 깨닫다
- ☐ **부리나케**
  부사 서둘러서 아주 급하게

우리 집 거실 **천장**에는 선풍기가 달려 있어요. 스위치를 누르면 날개가 빙글빙글 **돌아가면서**, **시원한** 바람이 **느껴져요**. 나는 그 돌아가는 날개를 손으로 만져 보고 싶었어요. 그래서 의자 위로 올라가 손을 뻗었지만, 키가 작아서 닿지 않았어요. 그때 엄마가 나를 보고 **부리나케** 달려오셨어요. "안 돼! 높은 데 올라가는 것도, 돌아가는 선풍기 날개를 만지는 것도 아주 위험해!" 엄마 말씀을 듣고, 나는 조심히 내려왔어요. 그리고 이제는 손으로 만지지 않고 바람만 느끼기로 했어요.

다음 문장을 읽고 위 내용과 맞으면 O, 틀리면 X에 체크하세요.

	O	X
• 우리집 거실 천장에는 선풍기가 달려 있어요.	☐	☐
• 범이는 돌아가는 선풍기 날개를 만져 보고 싶었어요.	☐	☐
• 범이는 의자 위로 올라가 선풍기 날개를 만졌어요.	☐	☐
• 엄마는 범이를 보고 달려와서 위험하다고 말하셨어요.	☐	☐
• 범이는 엄마의 말을 듣고 점프해서 뛰어 내려왔어요.	☐	☐

상황 이해 다음 질문에 적절한 답을 찾아보세요.

1. 선풍기는 어디에 달려있나요?

천장	벽	바닥	구석

2. 누구의 행동이 이상한가요?

범이	누나	엄마	형

3. 범이는 무엇을 하려고 했나요?

소파에서 뛰어내리기	천장에 달린 선풍기 만지기	스케치북에 그림그리기	엄마에게 노래 불러주기

4. 범이는 앞으로 어떻게 하기로 했나요?

바람을 그려보기로 했다	바람을 만들어보기로 했다	바람만 느끼기로 했다	바람을 불어보기로 했다

5. 범이가 천장에 있는 선풍기를 만지려고 하자 엄마는 어떤 표정을 지었나요?

웃는 표정	놀란 표정	우는 표정	즐거운 표정

어휘 체크 다음 어휘와 어울리는 문장을 찾아 선을 긋고 알맞은 형태로 써보세요.

돌아가다 •	• 넘어져서 다친 곳에 아픔이 ____________.
부리나케 •	• 비가 오니 바람이 ________ 졌어요.
시원하다 •	• ________에 별 스티커를 붙였어요.
느끼다 •	• 아빠는 ____________ 달려가서 약을 사 오셨어요.
천장 •	• 바람개비가 빙글빙글 ____________.

대화 추론 아래의 만화를 읽고 물음에 알맞은 답을 찾아보세요.

나라면 어떻게 말할지 채워보세요.

....

....

....

1. 범이는 왜 천장에 달린 선풍기를 만지려고 했나요?

① 비행기 날개 같아서

② 시원한 바람이 느껴져서

③ 더운 바람이 느껴져서

④ 맛있는 냄새가 나서

2. 돌아가는 선풍기를 만지면 어떻게 될까요?

다친다	날아간다
키가 커진다	손이 커진다

3. 엄마가 할 말로 알맞은 것을 고르세요.

① 엄마랑 같이 올라가서 만져볼래?

② 돌아가는 날개 만지는 건 위험해.

③ 넌 어쩜 그렇게 즐거운 생각을 하니?

④ 와 정말 시원하고 좋을 것 같구나?

4. 위험한 행동을 하려고 하면 어떻게 말해줘야 할지 써보세요.

....

활동 더하기 아래 물건을 오려서 멋지게 거실을 꾸며 보세요.

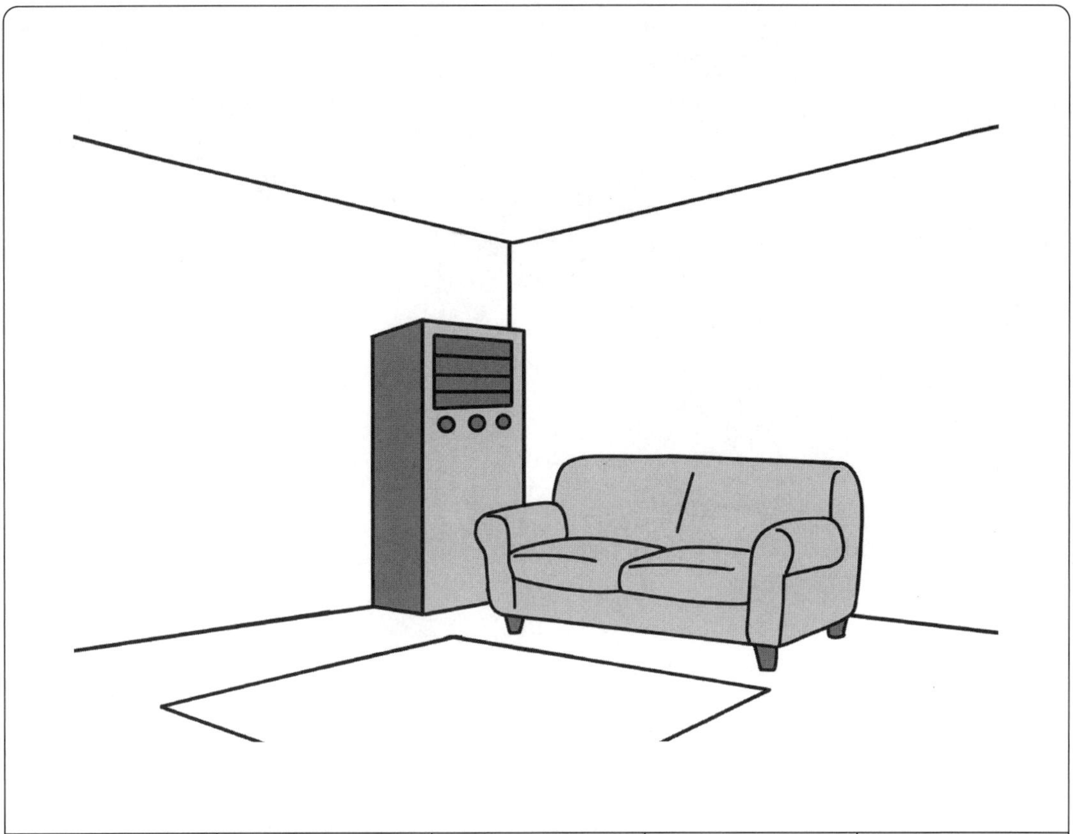

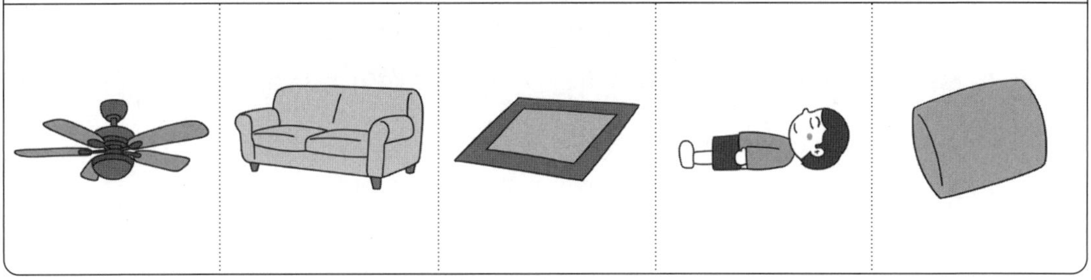

생각 정리 범이에게 어떤 말을 해줄까?

- 바닥에 누워 시원한 바람을 느끼자.
- 돌아가는 날개를 만지면 다쳐!
- 날개에 매달려 보는 건 어때?
- 소파 위로 올라가서 손을 뻗어보자.

11 엄마 가방 안에 있는 물건을 다 꺼냈어요

어휘 풀이

- ☐ **가방**
  명사 물건을 넣어 들거나 메고 다닐 수 있게 만든 용구
- ☐ **물건**
  명사 상품, 제품
- ☐ **호기심**
  명사 새롭고 신기한 것을 좋아하거나 모르는 것을 알고 싶어 하는 마음
- ☐ **물티슈**
  명사 물기가 있는 축축한 휴지
- ☐ **선물**
  명사 남에게 인사나 정을 나타내는 뜻으로 물건을 줌

아빠와 엄마와 함께 카페에 왔어요. 아빠와 엄마가 이야기하시는데 내가 모르는 이야기들이라 심심해졌어요. 그래서 테이블 위에 있는 엄마 가방에 눈길이 갔어요. 엄마 **가방** 안에는 신기한 **물건**들이 정말 많아서 다 꺼내봤어요. 어떤 건 돌리면 빨간 풀처럼 생긴 게 쏙 올라와요. **호기심**이 생겨서 그걸 내 입술에 발라 봤더니, 입술이 빨갛게 변했어요! 또 엄마 가방 안에는 내가 자주 쓰는 **물티슈**도 들어 있었어요. 엄마 가방은 산타할아버지의 **선물** 보따리처럼 느껴졌어요. 신나게 엄마 가방을 살펴보고 있는데 엄마가 얼굴을 찡그리며 말씀하셨어요. "다른 사람 가방은 허락받고 만지는 거야." 나는 다음엔 꼭 물어보고 만져야겠다고 생각했어요.

다음 문장을 읽고 위 내용과 맞으면 O, 틀리면 X에 체크하세요.

	ⓞ	ⓧ
· 용이는 아빠, 엄마와 카페에 갔어요.	☐	☐
· 엄마 가방에는 사탕과 과자가 가득 있었어요.	☐	☐
· 용이는 엄마 가방 안의 물건들을 꺼냈어요.	☐	☐
· 용이는 허락을 받고 립스틱을 입술에 발랐어요.	☐	☐
· 엄마는 놀고 있는 용이를 보고 얼굴을 찡그렸어요.	☐	☐

상황 이해 다음 질문에 적절한 답을 찾아보세요.

1. 용이는 누구의 가방을 궁금해 하나요?

누나 가방	엄마 가방	아빠 가방	친구 가방

2. 용이는 무엇을 했나요?

엄마 신발 신기	엄마의 가방 속 물건 꺼내기	엄마 옷 입기	엄마 모자 쓰기

3. 누구의 행동이 이상한가요?

아빠	용이	엄마	할아버지

4. 엄마는 용이에게 엄마 물건을 어떻게 하라고 했나요?

붙여라	허락 받고 만져라	흔들어라	먹어라

5. 용이가 엄마의 물건을 함부로 만지자 엄마는 어떤 표정을 지었나요?

걱정스러운 표정	행복한 표정	화나는 표정	무서운 표정

어휘 체크 다음 어휘와 어울리는 문장을 찾아 선을 긋고 알맞은 형태로 써보세요.

선물 •	• 동생의 눈빛은 ________이 가득 찬 눈빛이었어요.
가방 •	• 엄마 ________ 안에는 차 열쇠가 있어요.
물티슈 •	• 운동화를 ________로 닦으니 깨끗해졌어요.
물건 •	• 다른 사람 ________을 허락 없이 만지면 안 돼요.
호기심 •	• 어린이날 ________로 운동화를 받았어요.

대화 추론 아래의 만화를 읽고 물음에 알맞은 답을 찾아보세요.

나라면 어떻게 말할지 채워보세요.

....

....

....

1. 용이는 왜 엄마 가방 안에 있는 물건을 다 꺼냈나요?

① 가방 속 물건들이 작아서

② 가방 속 물건들이 신기해서

③ 가방 속 물건들이 커서

④ 가방 속 물건들을 버리려고

2. 용이가 엄마의 가방 안에 있는 물건들을 함부로 만지면 어떻게 될까요?

엄마가 웃는다	엄마가 화낸다
엄마가 없어진다	엄마가 행복해진다

3. 엄마가 할 말로 알맞은 것을 고르세요.

① 엄마 물건 아무렇게나 만들어도 돼.

② 엄마 물건 함부로 만지면 안 돼.

③ 바르면 행복해질 거야 발라봐.

④ 엄마 물건은 신기한게 많아. 많이 만져봐.

4. 다른 사람의 물건이 궁금할 땐 어떻게 행동해야 할지 써보세요.

....

활동 더하기 **물건의 주인을 잘 생각해 보고, 알맞은 사람에게 붙여보세요.**

생각 정리 **용이에게 어떤 말을 해줄까?**

- 엄마의 물건을 함부로 만지는 건 안 좋은 행동이야.
- 내 엄마잖아. 그러니까 물건 함부로 만져도 돼.
- 물건 함부로 만져도 엄마는 이해해 주실 거야.
- 엄마 화장품은 어린이용이 아니라서 어린이가 바르면 피부가 상해.

12 추워도 싫다고 옷을 안 입어요

어휘 풀이

- □ **겨울** 명사 가을과 봄 사이에 날씨가 추운 계절
- □ **식당** 명사 레스토랑, 식점
- □ **잠바** 명사 점퍼
- □ **불편하다** 형용사 갑갑하다, 괴롭다
- □ **투정** 명사 떼, 불평

추운 **겨울**, 밖에는 하얀 눈이 펑펑 내리고 있었어요. 오늘은 가족과 함께 **식당**에 가서 맛있는 돈가스를 먹기로 한 날이에요. 아빠가 전화로 "곧 도착하니까 옷 입고 내려와!"라고 하셨어요. 엄마는 두껍고 따뜻한 **잠바**를 꺼내 주며 입으라고 하셨어요. 그런데 그 잠바를 입기 싫었어요. 잠바를 입으면 몸이 둥글둥글해지고 움직이기가 너무 **불편하다고** 느꼈거든요. 그래서 "안 입을래요! 너무 답답해요!" 하며 **투정**을 부렸어요. 엄마는 잠시 웃더니 "잠깐만 참으면 따뜻하게 식당까지 갈 수 있어"라고 말했어요. 결국 잠바를 입고 밖으로 나갔어요. 정말 따뜻했어요.

다음 문장을 읽고 위 내용과 맞으면 O, 틀리면 X에 체크하세요.

	ⓞ	ⓧ
• 오늘은 눈 오는 겨울날이에요.	□	□
• 양이 가족은 따뜻한 국수를 먹으러 가기로 했어요.	□	□
• 엄마는 잠바를 입으라고 꺼내셨어요.	□	□
• 양이는 잠바 색깔이 마음에 안 들어서 입기 싫었어요.	□	□
• 양이는 결국 잠바를 입지 않고 밖으로 나갔어요.	□	□

상황 이해 다음 질문에 적절한 답을 찾아보세요.

1. 이곳은 어디인가요?

카페	엘리베이터 앞	운동장	집

2. 무슨 계절인가요?

봄	여름	가을	겨울

3. 누구의 행동이 이상한가요?

할아버지	양이	엄마	고모

4. 양이는 무엇을 하기 싫어했나요?

두꺼운 옷 입기	장갑 끼기	부츠 신기	모자 쓰기

5. 양이가 잠바를 입지 않겠다고 하자 엄마는 어떤 표정을 지었나요?

걱정스러운 표정	행복한 표정	화나는 표정	무서운 표정

어휘 체크 다음 어휘와 어울리는 문장을 찾아 선을 긋고 알맞은 형태로 써보세요.

잠바 •	• ________에 스키장으로 놀러 가기로 했어요.
투정 •	• 맛있는 샌드위치를 파는 ________으로 가자.
겨울 •	• 두꺼운 ________를 입어도 너무 추워요.
식당 •	• 모르는 사람들 사이에 있으니 ________.
불편하다 •	• 동생은 아빠가 선물을 사주지 않는다고 ________을 부렸어요.

대화 추론 아래의 만화를 읽고 물음에 알맞은 답을 찾아보세요.

나라면 어떻게 말할지 채워보세요.

1. 양이는 왜 엄마가 꺼내준 두꺼운 옷을 안 입으려고 하나요?

① 두꺼운 옷을 입으면 더워서

② 두꺼운 옷을 입으면 간지러워서

③ 두꺼운 옷을 입으면 불편해서

④ 두꺼운 옷을 입으면 추워서

2. 추운 날 옷을 얇게 입으면 몸이 어떻게 될까요?

뜨거워진다	감기에 걸린다
말랑말랑해진다	작아진다

3. 엄마가 할 말로 알맞은 것을 고르세요.

① 잠바 안 입으면 추워서 감기 걸려 불편해도 입고 나가자.

② 그래 입지 말고 나가라.

③ 너 배고플까 봐 엄마가 입으라고 하는 거야.

④ 네가 잠바를 안 입으면 엄마가 신나서 그래.

4. 날씨가 추운 날에는 어떤 옷을 입어야 하는지 써보세요.

활동 더하기 추운 날씨예요. 양이가 따뜻하게 나갈 수 있도록 필요한 물건을 붙여보세요.

생각 정리 양이에게 어떤 말을 해줄까?

엄마 말씀 듣지 말고 반팔 입고 나가자.	지금은 여름이라 날씨가 엄청 추워.
날씨가 더울 때는 두꺼운 잠바를 입어야 해.	날씨가 추울 때는 두꺼운 잠바를 입어야 해.

13 나뭇잎을 베란다 밖으로 던졌어요

어휘 풀이

- □ **베란다**
  명사 쪽마루
- □ **나뭇잎**
  명사 나무의 잎
- □ **떨어뜨리다**
  동사 놓치다
- □ **빙글빙글**
  부사 뱅글뱅글, 삥글삥글
- □ **위험**
  명사 위급, 위기

우리 집 **베란다**는 바람이 솔솔 불어서 참 시원해요. 밖을 보면 바람에 **나뭇잎**들이 떨어지는 모습이 재미있었어요. 그래서 나는 화분에서 작은 나뭇잎을 하나 똑 따서 베란다 밖으로 **떨어뜨렸어요**. 마치 새가 하늘을 나는 것처럼 나뭇잎이 **빙글빙글** 돌면서 아래로 날아갔어요. 그런데 그 모습을 본 아빠가 깜짝 놀라며 말했어요. "베란다 문을 열고 밖을 보는 건 **위험해**! 그리고 무언가를 밖으로 떨어뜨리면, 지나가는 사람이 맞아서 다칠 수도 있어. 절대 그러면 안 돼." 나는 고개를 끄덕이며, 다시는 함부로 던지지 않겠다고 약속했어요.

O X

다음 문장을 읽고 위 내용과 맞으면 O, 틀리면 X에 체크하세요.

	ⓞ	⊗
• 멍이는 나뭇잎을 따서 베란다 밖으로 떨어뜨렸어요.	□	□
• 멍이 아빠는 나뭇잎이 떨어지는 모습을 보고 신기해했어요.	□	□
• 베란다 문을 열고 밖을 보는 것은 위험할 수 있어요.	□	□
• 무언가를 밖으로 떨어뜨리면 지나가는 사람이 맞을 수 있어요.	□	□
• 멍이는 다시는 함부로 던지지 않겠다고 약속했어요.	□	□

상황 이해 다음 질문에 적절한 답을 찾아보세요.

1. 이곳은 어디인가요?

공원	화장실	베란다	마트

2. 누구의 행동이 이상한가요?

아빠	엄마	꿀이	멍이

3. 무엇을 하려고 했나요?

베란다에서 노래 부르기	베란다 밖으로 나뭇잎 던지기	베란다에서 나뭇잎 쓸기	베란다에서 비눗방울 불기

4. 멍이는 베란다 밖으로 무엇을 던졌나요?

연필	블록	종이	나뭇잎

5. 멍이가 베란다 밖으로 나뭇잎을 떨어뜨리자 아빠는 어떤 표정을 지었나요?

지루한 표정	즐거운 표정	깜짝 놀란 표정	행복한 표정

어휘 체크 다음 어휘와 어울리는 문장을 찾아 선을 긋고 알맞은 형태로 써보세요.

빙글빙글 •	• 수저를 바닥에 ________________.
위험 •	• 공사장은 _________하니 조심해야 해요.
베란다 •	• 미끄럼틀을 타고 ____________ 돌았더니 어지러워요.
떨어뜨리다 •	• 할머니 댁 ____________에는 꽃이 많이 있어요.
나뭇잎 •	• 가을에는 _________의 색이 빨갛게 변해요.

대화 추론 아래의 만화를 읽고 물음에 알맞은 답을 찾아보세요.

나라면 어떻게 말할지 채워보세요.

1. 멍이는 왜 나뭇잎을 베란다 밖으로 던졌나요?
   ① 빙글빙글 도는 모습이 재미있어서
   ② 빙글빙글 도는 모습이 이상해서
   ③ 빙글빙글 도는 모습이 무서워서
   ④ 빙글빙글 도는 모습이 슬퍼서

2. 베란다 밖으로 물건을 떨어뜨리면 지나가는 사람이 어떻게 될까요?

잡을 수 있다	맞을 수 있다
먹을 수 있다	마실 수 있다

3. 아빠가 할 말로 알맞은 것을 고르세요.
   ① 너무 재미있겠다~ 아빠도 같이 해보자.
   ② 경찰 아저씨 멍이를 잡아가세요.
   ③ 너 정말 잘하는구나.
   ④ 그렇게 난관 붙잡고 있으면 위험해!
   어서 내려와! 그리고 밖으로 던지면 안돼.

4. 베란다에서 안전하게 놀 수 있는 약속에는 어떤 것이 있는지 써보세요.

활동 더하기 그림 속 베란다를 색칠하여 예쁘게 꾸며 보세요.

생각 정리 멍이에게 어떤 말을 해줄까?

- 베란다에서 신나게 춤춰보자.
- 나뭇잎을 모두 뜯어보는 건 어때?
- 베란다 난관에 매달려 있는 건 안 돼~
- 베란다 밖으로 물건을 던지는 건 위험해.

14 책장을 타고 올라가 장난감을 꺼내려 했어요

어휘 풀이

- ☐ **종종** 부사 가끔
- ☐ **장난감** 명사 아이들이 가지고 노는 물건
- ☐ **만들다** 동사 꾸미다
- ☐ **멋지다** 형용사 근사하다, 멋들어지다
- ☐ **닿다** 동사 다다르다, 도달하다

아빠는 **종종** 집에서 **장난감**을 **만들어요**. 그 장난감들은 하나같이 너무 **멋지게** 생겼어요. 그래서 나는 늘 만져보고 싶었어요. 그런데 아빠는 "이건 부서질 수 있어서 안 돼"라며 책장 맨 위 칸에 올려두셨어요. 어느 날, 아빠가 엄마와 이야기를 나누는 사이, 나는 몰래 아빠, 방에 들어갔어요. 책장을 올려다보니 그 멋진 장난감이 그대로 있었어요. 나는 장난감을 꺼내려고 책장을 타고 올라가기 시작했어요. 손끝에 장난감에 **닿으려는** 순간! 문이 벌컥 열리더니, 아빠가 크게 소리치셨어요. 나는 깜짝 놀라 그 자리에 얼어붙고 말았어요.

다음 문장을 읽고 위 내용과 맞으면 O, 틀리면 X에 체크하세요.

	O	X
· 아빠는 종종 집에서 장난감을 만들어요.	☐	☐
· 아빠의 장난감은 책장 맨 위 칸에 올려져 있어요.	☐	☐
· 용이는 아빠의 허락을 받고 장난감을 만지기로 했어요.	☐	☐
· 용이는 책장을 타고 올라가서 장난감을 꺼내려고 했어요.	☐	☐
· 아빠는 장난감이 망가질까봐 용이를 혼냈어요.	☐	☐

상황 이해 다음 질문에 적절한 답을 찾아보세요.

1. 내가 만지면 안 되는 장난감은 어디에 놓여있나요?

책장 맨 위	천장	서랍장 안	소파 위

2. 누구의 행동이 이상한가요?

용이	아빠	동생	엄마

3. 무엇을 하려고 했나요?

책장에 스티커 붙이기	책장에 책 넣기	책장 맨 위에 있는 장난감 꺼내기	책장에 낙서하기

4. 책장에 매달리면 안 되는 이유를 모두 찾아보세요.

떨어질 수 있어서	책장과 같이 넘어질 수 있어서	책장이 너무 무거워서	책장 색이 예뻐서

5. 아빠가 장난감을 못 만지게 했을 때 용이는 어떤 마음이 들까요?

두려운 마음	행복한 마음	속상한 마음	무서운 마음

어휘 체크 다음 어휘와 어울리는 문장을 찾아 선을 긋고 알맞은 형태로 써보세요.

닿다 •	• 책이 너무 높은 곳에 있어서 내 손이 ________ 않아요.
종종 •	• 색종이로 공룡을 ________.
만들다 •	• 멀리 이사 간 친구가 ________ 생각나요.
멋지다 •	• ________ 가게에 오니 천국이 따로 없어요.
장난감 •	• 결혼식장에 가야 해서 엄마는 나를 ________ 꾸며주셨어요.

대화 추론 아래의 만화를 읽고 물음에 알맞은 답을 찾아보세요.

나라면 어떻게 말할지 채워보세요.

....

....

....

1. 용이는 왜 책장 위에 있는 장난감을 꺼내려고 했나요?

① 가지고 놀려고

② 똑같이 만들려고

③ 그림으로 그리려고

④ 종이접기 하려고

2. 책장에 매달려 올라가면 책장이 어떻게 될까요?

작아잔다	쓰러진다
커진다	돌아간다

3. 아빠가 할 말로 알맞은 것을 고르세요.

① 너 왜 내 장난감 뺏어가니.

② 장난감 만지면 엄청 뜨거워.

③ 책장은 사다리가 아니야!
책장에 그렇게 매달리면 위험해.

④ 아빠랑 같이 아이스크림 먹자.

4. 높은 곳에 있는 물건을 꺼내려면 어떻게 해야 할지 써보세요.

....

활동 더하기 아래 물건을 오려서 멋지게 책장을 꾸며 보세요.

생각 정리 용이에게 어떤 말을 해줄까?

- 책장에 책을 꽂아보자.
- 책장에 올라가면 위험해!
- 책장이랑 같이 넘어지면 깔릴 수 있어.
- 책장을 같이 옮겨줄래?

15 어항 속에 장난감을 넣었어요

어휘 풀이

- ☐ **어항** 명사 물고기를 기르는 데 사용하는 항아리
- ☐ **장난감** 명사 어린아이들이 가지고 노는 물건
- ☐ **넣다** 동사 놓다, 담다
- ☐ **근처** 명사 가까이, 곁
- ☐ **헤엄치다** 동사 물속에서 나아가기 위해 움직이다

우리 집 **어항** 속에는 내가 좋아하는 작은 물고기들이 살고 있어요. 그중에서도 가장 좋아하는 물고기 이름은 구구예요. 나는 구구에게 내가 아끼는 **장난감**을 보여 주고 싶었어요. 그런데 구구는 어항 안에 있어서 잘 보이지 않는 것 같았어요. 그래서 구구가 잘 보게 하려고, 장난감을 어항 안에 **넣었어요**. 잠시 뒤, 구구가 장난감 **근처**를 **헤엄치며** 왔다 갔다 했어요. "구구야, 예쁘지? 나 이 장난감 정말 좋아해!" 이제 구구가 다 본 것 같아서 꺼내려고 했는데, 어?! 장난감을 꺼낼 수가 없어요... 어떡하죠?

다음 문장을 읽고 위 내용과 맞으면 O, 틀리면 X에 체크하세요.

	O	X
· 어항 속에 작은 물고기들이 살고 있어요.	☐	☐
· 멍이가 가장 좋아하는 물고기 이름은 구구예요.	☐	☐
· 멍이는 구구에게 먹이를 주었어요.	☐	☐
· 멍이는 장난감을 가지고 놀다가 실수로 어항에 떨어뜨렸어요.	☐	☐
· 장난감을 꺼내려 했지만 꺼낼 수 없었어요.	☐	☐

상황 이해 다음 질문에 적절한 답을 찾아보세요.

1. 어디에 장난감을 넣었나요?

어항 위	어항 옆	어항 속	어항 아래

2. 누구의 행동이 이상한가요?

엄마	삼촌	멍이	할아버지

3. 멍이는 어항에 무엇을 했나요?

어항을 색칠했다	어항 속에 장난감을 넣었다	어항 속에 있는 물고기를 잡았다	어항 속을 청소했다

4. 어항에 장난감을 넣고 나서 어떤 일이 생겼을까요?

물고기가 장난감을 먹었다	꺼낼 수가 없었다	장난감이 말랑말랑해졌다	장난감이 녹았다

5. 어항 속에 넣은 장난감을 꺼낼 수 없었을 때, 멍이는 어떤 표정을 지었나요?

기대되는 표정	속상한 표정	즐거운 표정	화나는 표정

어휘 체크 다음 어휘와 어울리는 문장을 찾아 선을 긋고 알맞은 형태로 써보세요.

어항 •	• 불 ________에 가면 위험해요.
헤엄치다 •	• 친구가 내 ____________을 망가뜨려 속상했어요.
장난감 •	• 고래는 깊은 바다에서 ______________ 다닌다고 해요.
근처 •	• 보석상자에 내가 아끼는 것을 ___________.
넣다 •	• ________ 안에 있는 물고기 색이 너무 예뻐요.

대화 추론 아래의 만화를 읽고 물음에 알맞은 답을 찾아보세요.

나라면 어떻게 말할지 채워보세요.

....

....

....

1. 멍이는 왜 어항 속에 장난감을 넣었나요?

① 물고기 밥인 줄 알고

② 물고기에게 보여주려고

③ 물고기가 싫어서

④ 물고기를 괴롭히려고

2. 어항에 장난감을 넣으면 어떤 일이 생길 수 있나요?

어항 모양이 변한다	물이 오염된다
물고기가 변한다	어항이 깨진다

3. 엄마가 할 말로 알맞은 것을 고르세요.

① 엄마가 다른 장난감도 넣어줄게.

② 어항이 장난감 통이니! 왜 거기에 넣었어?

③ 물고기가 갖고 놀 수 있겠네.

④ 물고기가 배고파서 맛있게 먹겠구나.

4. 어항 속에 있는 장난감을 안전하게 꺼내려면 어떻게 해야 할지 써보세요.

....

활동 더하기 아래 물건을 오려서 멋지게 어항을 꾸며 보세요.

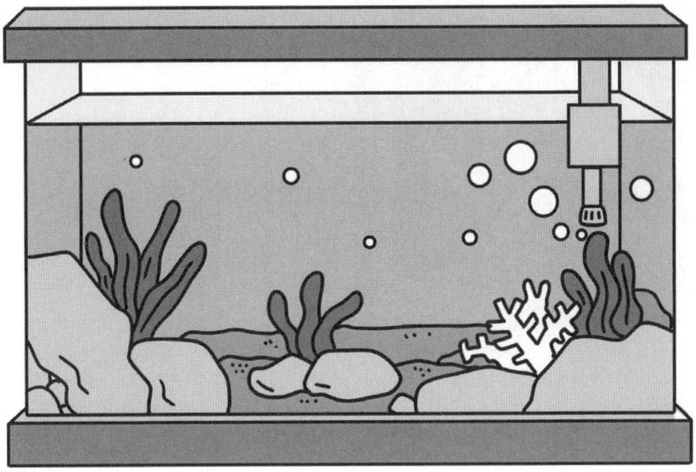

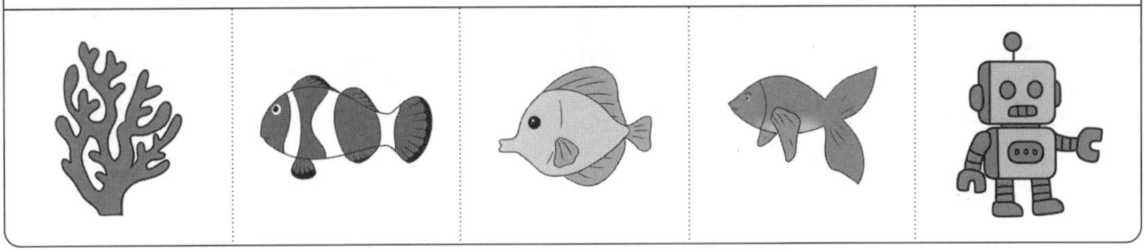

생각 정리 멍이에게 어떤 말을 해줄까?

- 어항 속에 장난감을 넣으면 안 돼.
- 장난감을 넣었다가 어항이 오염될 수 있어.
- 물고기가 장난감을 먹으면 좋아할 거야.
- 물고기는 장난감을 좋아해.

16 엘리베이터 버튼을 전부 눌렀어요

어휘 풀이

- ☐ **엘리베이터** 명사 승강기
- ☐ **변신** 명사 몸의 모양이나 태도 따위를 바꿈
- ☐ **장난** 명사 짓궂게 하는 못된 짓
- ☐ **피해** 명사 손해를 입음
- ☐ **혼나다** 동사 야단맞다, 욕먹다

엄마랑 마트에 다녀오는 길이었어요. 엄마가 무거운 짐을 많이 들고 있어서, 나에게 **엘리베이터** 버튼을 눌러 달라고 하셨어요. 버튼을 누르자 불빛이 반짝! 우와~ 마치 버튼이 **변신**한 것처럼 보여서 깜짝 놀랐어요. 너무 재미있어서 그만 모든 버튼을 다 눌러 버렸어요. 그 순간, 엄마가 놀란 얼굴로 말씀하셨어요. "그런 **장난**하는 거 아니야. 그렇게 하면 다른 사람들에게 **피해**를 줄 수 있어." 나는 엄마한테 **혼이 났어요**. 그제야 내가 잘못했다고 느꼈어요. 다음부터는 꼭 필요한 버튼만 누르기로 약속했어요.

O X

다음 문장을 읽고 위 내용과 맞으면 O, 틀리면 X에 체크하세요.

	O	X
· 엄마는 무거운 짐을 많이 들고 있어 나눠 들자고 했어요.	☐	☐
· 엄마는 먼저 우리층 버튼을 눌렀어요.	☐	☐
· 꿀이는 엘리베이터 버튼을 다 눌렀어요.	☐	☐
· 엘리베이터 버튼 하나가 고장났어요.	☐	☐
· 엄마와 필요한 버튼만 누르기로 약속했어요.	☐	☐

상황 이해 다음 질문에 적절한 답을 찾아보세요.

1. 이곳은 어디인가요?

엘리베이터 위	엘리베이터 안	엘리베이터 밖	엘리베이터 옆

2. 누구의 행동이 이상한가요?

꿀이	삼촌	엄마	할머니

3. 꿀이는 무엇을 했나요?

엘리베이터 버튼 다 누르기	엘리베이터에 매달리기	엘리베이터에서 뛰기	엘리베이터에 앉아 있기

4. 엄마의 말을 듣고 꿀이는 어떤 생각을 했나요?

내가 잘했구나	내가 못생겼구나	내가 잘못했구나	내가 멋지구나

5. 꿀이가 다른 층 버튼을 누르자 엄마는 어떤 표정을 지었나요?

무서운 표정	화난 표정	즐거운 표정	기대되는 표정

어휘 체크 다음 어휘와 어울리는 문장을 찾아 선을 긋고 알맞은 형태로 써보세요.

변신 •	• ______________에 사람들이 많이 타 있었어요.
엘리베이터 •	• 친구랑 싸워서 선생님께 ______________.
혼나다 •	• 우리 집에 놀러 온 친구는 ________ 꾸러기예요.
피해 •	• 어린이날 선물로 ________ 로봇을 선물 받았어요.
장난 •	• 비가 많이 와서 사람들이 ________를 입었어요.

대화 추론 아래의 만화를 읽고 물음에 알맞은 답을 찾아보세요.

나라면 어떻게 말할지 채워보세요.

....

....

....

1. 꿀이는 왜 엘리베이터 모든 층 버튼을 눌렀나요?

① 버튼 색이 다 바뀌는 게 무서워서

② 버튼 색이 다 바뀌는 게 재미있어서

③ 버튼 색이 다 바뀌는 게 화가 나서

④ 버튼 색이 다 바뀌는 게 슬퍼서

2. 엘리베이터 모든 층 버튼을 누르면 엘리베이터가 어떻게 될까요?

모양이 변한다	물이 오염된다
물고기가 변한다	어항이 깨진다

3. 엄마가 할 말로 알맞은 것을 고르세요.

① 다른 사람들에게 피해를 주는 행동이야. 다른 층 버튼 누르지 마.

② 다른 층 버튼 누르면 우리 모두 다 엘리베이터 탈 수 있겠다.

③ 그렇게 모든 층 버튼을 누르면 엘리베이터가 깨끗해질 거야.

④ 엘리베이터 버튼을 다 눌렀더니 너무 신난다.

4. 엘리베이터에서 지켜야 할 규칙에는 어떤 것이 있는지 써보세요.

....

활동 더하기 아래의 행동을 보고 올바른 행동과 잘못한 행동을 O / X 로 표시해 보세요.

생각 정리 꿀이에게 어떤 말을 해줄까?

- 너희 집 층 버튼만 눌러야 해.
- 몇 층에 내릴지 모르니 다 눌러!
- 버튼 다 누르면 피해주는 거야.
- 버튼 다 눌러야 좋은 거지.

17 계단을 빠르게 뛰어 내려갔어요

어휘 풀이

☐	**계단**	명사	오르내리기 위하여 만든 층층대
☐	**빠르다**	형용사	급하다, 날쌔다
☐	**흔쾌히**	부사	기쁘고 유쾌하게
☐	**비행기**	명사	양력을 이용하여 날아다니는 항공기
☐	**천천히**	부사	서서히, 슬슬, 느리게

오늘은 아빠가 태권도 학원으로 나를 데리러 오셨어요. 학원은 2층에 있어서, 엘리베이터보다 **계단**으로 내려가는 게 더 **빠르다고** 생각했어요. 그래서 "아빠, 계단으로 내려가요!" 했더니, 아빠는 **흔쾌히** "그래!"하고 대답하셨어요. 나는 신이 나서 계단을 타고 휙휙 내려가기 시작했어요. 나는 **비행기**처럼 빠르게 날아가는 기분이었어요! 그때 아빠가 앞에서 말했어요. "조심해! 너무 빨라! **천천히** 내려가지 않으면 다칠 수 있어!" 나는 얼른 속도를 늦추고 조심조심 내려왔어요.

다음 문장을 읽고 위 내용과 맞으면 O, 틀리면 X에 체크하세요.

	ⓞ	ⓧ
• 아빠가 태권도 학원으로 데리러 오셨어요.	☐	☐
• 태권도 학원은 5층이예요.	☐	☐
• 범이는 신이나서 계단으로 뛰어 내려갔어요.	☐	☐
• 아빠는 계단에서 다칠 수 있으니 천천히 내려가라고 했어요.	☐	☐
• 다음부터는 엘리베이터를 타고 가기로 했어요.	☐	☐

상황 이해 다음 질문에 적절한 답을 찾아보세요.

1. 어디를 내려가고 있나요?

엘리베이터	계단	에스컬레이터	미끄럼틀

2. 누구와 누구의 대화인가요?

범이와 친구	엄마와 아빠	아빠와 할머니	범이와 아빠

3. 누구의 행동이 이상한가요?

할아버지	엄마	범이	아빠

4. 범이는 어떤 행동을 했나요?

미끄럼틀을 타고 갔다	엘리베이터를 탔다	계단을 2~3칸씩 내려갔다	계단을 한 칸씩 내려갔다

5. 범이가 계단을 두세 칸씩 내려가려고 하자 아빠는 어떤 표정을 지었나요?

행복한 표정	놀란 표정	부끄러운 표정	즐거운 표정

어휘 체크 다음 어휘와 어울리는 문장을 찾아 선을 긋고 알맞은 형태로 써보세요.

계단 •	• 치타는 토끼보다 달리기가 ___________.
천천히 •	• 엄마는 게임하는 것을 ___________ 허락해 주셨어요.
빠르다 •	• _________을 많이 올라갔더니 다리가 아파요.
흔쾌히 •	• 여름휴가때 ___________를 타고 해외여행을 가기로 했어요.
비행기 •	• 할아버지는 ___________ 걸어오셨어요.

대화 추론 아래의 만화를 읽고 물음에 알맞은 답을 찾아보세요.

나라면 어떻게 말할지 채워보세요.

....

....

....

1. 범이는 왜 계단을 빨리 내려갔나요?

① 빨리 내려가면 무서워서

② 빨리 내려가면 신나서

③ 빨리 내려가면 슬퍼서

④ 빨리 내려가면 화나서

2. 계단을 너무 빨리 내려가면 어떤 일이 생길 수 있나요?

날아갈 수 있다	다칠 수 있다
비행기처럼 된다	굴러간다

3. 아빠가 할 말로 알맞은 것을 고르세요.

① 그렇게 내려가다 다치면 좋을 것 같아.

② 빨리 내려가면 너 비행기로 변해.

③ 천천히 내려가야 해! 빨리 내려가면 다쳐!

④ 너는 비행기니? 나는 로켓이다!

4. 친구가 계단을 빠르게 내려간다면 어떻게 말해줘야 할지 써보세요.

....

활동 더하기 계단에서 바르게 행동한 친구에게 ○ 하세요.

생각 정리 범이에게 어떤 말을 해줄까?

- 계단을 내려갈 땐 한 칸씩 내려가야 해.
- 계단을 두세 칸씩 내려가다 다칠 수 있어.
- 계단에선 비행기처럼 내려가야 좋지!
- 계단 안전 수칙을 지키지 않아도 돼.

18 화단에 쉬를 했어요

어휘 풀이

- ☐ **마렵다**
  형용사 대소변을 누고 싶은 느낌이 있다
- ☐ **당장**
  명사 지금 바로
- ☐ **느낌**
  명사 몸이나 마음에 와 닿는 것
- ☐ **화단**
  명사 꽃밭
- ☐ **부끄럽다**
  형용사 잘못이나 실수를 저질러서 창피하다

영어학원이 끝나고 엄마와 함께 집에 돌아오는 길이었어요. 아직 집에 도착하지 않았는데, 갑자기 쉬가 너무 **마려웠어요**. 엄마는 "곧 도착하니까 집에 가서 하렴" 하고 말씀하셨어요. 그런데 차에서 내리려는 순간, **당장** 쉬가 나올 것 같은 **느낌**이 드는 거예요. 도저히 참을 수 없어서 집 앞 **화단**에 쉬를 하고 말았어요. "휴, 아무도 안 봤겠지…"하고 안심하는데, 헉! 아랫집 할머니가 지나가고 계셨던 거예요. 너무 **부끄러웠어요**. 앞으로는 차를 타기 전에 꼭 화장실에 다녀와야겠다고 생각했어요.

다음 문장을 읽고 위 내용과 맞으면 O, 틀리면 X에 체크하세요.

	O	X
· 용이는 영어학원 수업을 마치고 집으로 가는 길이에요.	☐	☐
· 용이는 갑자기 똥이 마려웠어요.	☐	☐
· 용이는 집에 도착할 때까지 잘 참았어요.	☐	☐
· 용이는 쉬가 마려워서 바지에 쉬를 했어요.	☐	☐
· 용이는 화단에 쉬를 하는데 아랫집 할머니가 지나갔어요.	☐	☐

상황 이해 다음 질문에 적절한 답을 찾아보세요.

1. 이곳은 어디인가요?

화장실	화단	방	백화점

2. 용이는 어떤 느낌이 들었나요?

무서운 느낌	날아가는 느낌	쉬 마려운 느낌	배고픈 느낌

3. 누구의 행동이 이상한가요?

아빠	엄마	용이	할머니

4. 용이는 어떤 행동을 했나요?

화단에 침 뱉었다	화단에 쉬 했다	화단에 누웠다	화단에 던졌다

5. 화단에 쉬 하는 모습을 본 할머니는 어떤 표정을 지었나요?

행복한 표정	속상한 표정	화나는 표정	당황한 표정

어휘 체크 다음 어휘와 어울리는 문장을 찾아 선을 긋고 알맞은 형태로 써보세요.

마렵다 •	• 모두 나를 쳐다보니 ____________.
당장 •	• 배가 아픈 ____________이 들었어요.
느낌 •	• 쉬가 ______________ 화장실로 뛰어갔어요.
화단 •	• 선생님께서 __________ 앞으로 나오라고 하셨어요.
부끄럽다 •	• __________에는 여러 꽃이 피어있어요.

대화 추론 아래의 만화를 읽고 물음에 알맞은 답을 찾아보세요.

나라면 어떻게 말할지 채워보세요.

....

....

....

1. 용이는 왜 화단에 쉬를 했나요?

① 금방이라도 쉬가 나올 것 같아서

② 집이 너무 멀어서

③ 집에는 화장실이 없어서

④ 화단에 물을 주려고

2. 용이가 쉬를 하는 모습을 본 아랫집 할머니는 어떤 생각이 들었을까요?

구경하고 싶다	칭찬해 주고 싶다
혼내주고 싶다	안아주고 싶다

3. 엄마가 할 말로 알맞은 것을 고르세요.

① 집에 다 와가~ 조금씩 싸보렴.

② 너는 왜 이렇게 엄마 말을 안 듣니?

③ 지금 쉬 해~

④ 집에 먼저 내려줄 테니 먼저 집에 가서 화장실 가.

4. 화장실에 가고 싶은데, 주변에 화장실이 안 보인다면 어떻게 해야 할지 써보세요.

....

활동 더하기 쉬가 마려운 친구가 화장실을 찾을 수 있게 길을 연결해 보세요.

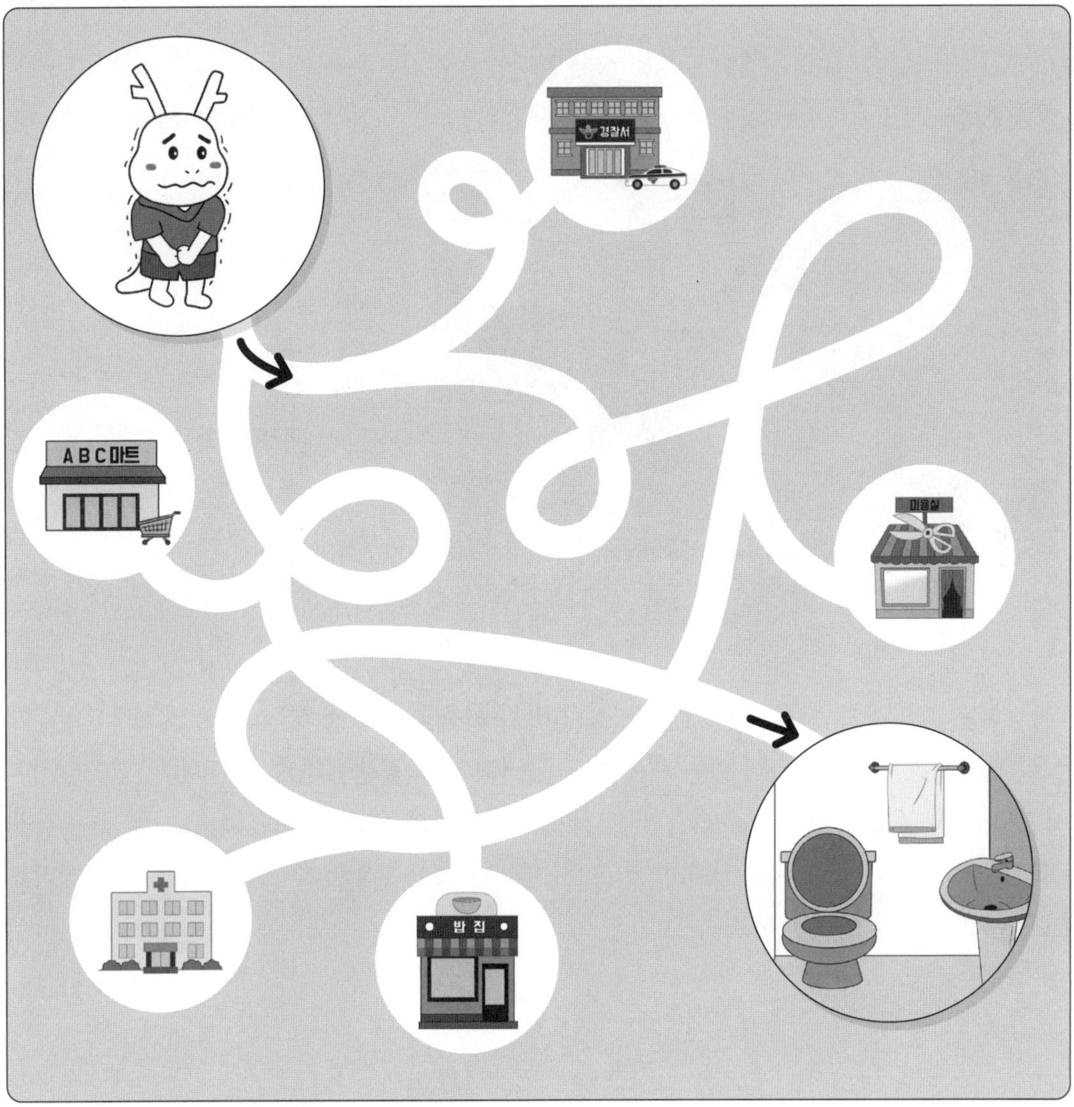

생각 정리 용이에게 어떤 말을 해줄까?

- 중간에 쉬 마려우면 곤란하니 출발 전에 화장실을 다녀오는 게 좋아.
- 쉬는 참을 수 있는 거니 참아야 해.
- 바지에 그냥 쉬 하면 되잖아.
- 조금만 더 참고 화장실로 얼른 가.

19 쓰레기를 아무 곳에나 버리려고 했어요

어휘 풀이

- ☐ **시원하다**
  형용사 개운하다
- ☐ **불편하다**
  형용사 몸이나 마음이 괴롭다
- ☐ **몰래**
  부사 남이 모르게 살짝
- ☐ **꼼짝없이**
  부사 어쩔 수 없이
- ☐ **쓰레기통**
  명사 쓰레기를 모아 두는 통

더운 여름날, 엄마와 함께 공원에 갔어요. 엄마가 **시원한** 주스를 하나 사 주셨어요. 마실 땐 정말 좋았는데, 다 마신 뒤에 컵을 계속 들고 있어야 해서 **불편했어요**. 엄마에게 "엄마, 이거 좀 들어 주세요"라고 했더니, "네가 마신 건 네가 들고 있어야지~" 하셨어요. 나는 컵을 **몰래** 벤치 밑에 버리고 가려다가... 엄마한테 딱 들켰어요! 결국 **꼼짝없이** 컵을 다시 들고 **쓰레기통**이 나올 때까지 기다려야 했어요.

다음 문장을 읽고 위 내용과 맞으면 O, 틀리면 X에 체크하세요.

	O	X
· 오늘은 시원한 가을 날씨예요.	☐	☐
· 엄마가 시원한 주스를 사주셨어요.	☐	☐
· 엄마가 주스 컵을 잠시 들어주셨어요.	☐	☐
· 범이는 주스를 다 마신 뒤, 쓰레기통에 바로 버렸어요.	☐	☐
· 범이는 몰래 컵을 버리려다 엄마한테 들켰어요.	☐	☐

상황 이해 다음 질문에 적절한 답을 찾아보세요.

1. 범이와 엄마는 어디에 갔나요?

영화관	유치원	공원	백화점

2. 누구와 누구의 대화인가요?

범이와 엄마	범이와 경비아저씨	범이와 할아버지	범이와 형

3. 누구의 행동이 이상한가요?

아빠	엄마	범이	형

4. 무엇을 하려고 했나요?

쓰레기를 날렸다	쓰레기를 버리려고 했다	쓰레기를 만들었다	쓰레기를 모았다

5. 다 마신 주스 통을 들고 있는 범이는 어떤 마음이 들었을까요?

슬픈 마음	행복한 마음	귀찮은 마음	화나는 마음

어휘 체크 다음 어휘와 어울리는 문장을 찾아 선을 긋고 알맞은 형태로 써보세요.

쓰레기통 •	• 땀을 많이 흘려서 샤워하고 나왔더니 ______________.
시원하다 •	• 딱 맞는 티셔츠를 입었더니 ______________.
꼼짝없이 •	• 형은 아빠에게 ______________ 잡혔어요.
불편하다 •	• 엄마가 내가 쓴 휴지는 내가 ______________에 버리라고 했어요.
몰래 •	• 언니 __________ 장난감을 들고나왔어요.

대화 추론 아래의 만화를 읽고 물음에 알맞은 답을 찾아보세요.

나라면 어떻게 말할지 채워보세요.

....

....

....

1. 범이는 왜 쓰레기를 아무 곳에나 버리려고 했나요?

① 들고 있기엔 뜨거워서

② 들고 있기 싫어서

③ 들고 있기 무거워서

④ 들고 있으면 녹을까 봐

2. 쓰레기를 아무 곳에나 버리면 어떤 일이 생길 수 있나요?

깨끗해진다	오염된다
안전해진다	부드러워진다

3. 엄마가 할 말로 알맞은 것을 고르세요.

① 쓰레기는 정말 소중한 거야.

② 엄마, 지금 양손 가득 짐을 들고 있잖니. 네가 들고 있다가 버리렴.

③ 너는 왜 쓰레기를 좋아하니?

④ 쓰레기 참 깨끗하지 않니?

4. 쓰레기를 버리고 싶은데 쓰레기통이 보이지 않으면 어떻게 해야 할지 써보세요.

....

활동 더하기 아래 그림을 오려서 분리수거를 해주세요.

생각 정리 범이에게 어떤 말을 해줄까?

쓰레기를 아무 곳에나 버리면 안 돼.	쓰레기는 다른 사람이 대신 버려줄 거야.
쓰레기통에 쓰레기 버려야 해.	쓰레기는 깨끗한 거야.

20 남의 카드로 결제하려 했어요

어휘 풀이

- ☐ **음료수**
  명사 마실 수 있는 물
- ☐ **키오스크**
  명사 공공장소에 설치된 무인 정보 단말기
- ☐ **결제**
  명사 값을 치러 거래를 끝내는 것
- ☐ **카드**
  명사 일정한 크기로 조그맣게 자른 두꺼운 종이나 플라스틱
- ☐ **도둑질**
  명사 남의 물건을 훔치거나 빼앗는 짓

너무 더운 날, 양이와 함께 시원한 **음료수**를 마시려고 카페에 갔어요. **키오스크** 앞에 서서 마시고 싶은 음료수를 고르고 **결제**를 하려고 하는데, 그만! **카드**를 안 가져온 게 생각났어요. 카드만 꽂으면 결제가 되는데... 순간 너무 아쉬웠어요. 그때 앞 테이블 위에 카드가 눈에 들어왔어요. 순간 그 카드를 써볼까? 하는 생각이 살짝 들었어요. 하지만 바로 그때, 양이가 제 손을 붙잡으며 말렸어요. "남의 카드를 쓰면 안 돼! 그건 **도둑질**이야!" 그 말을 듣고 깜짝 놀랐어요. 다행히 양이가 말려줘서 고마웠고, 다시는 그런 생각도 하지 않기로 마음먹었어요.

O X

다음 문장을 읽고 위 내용과 맞으면 O, 틀리면 X에 체크하세요.

	ⓞ	ⓧ
· 꿀이와 양이는 함께 카페에 갔어요.	☐	☐
· 꿀이와 양이는 직원에게 직접 주문을 해요.	☐	☐
· 꿀이는 결제하려고 했지만 카드를 가지고 오질 않았어요.	☐	☐
· 꿀이는 다른 사람 카드로 결제하려고 했어요.	☐	☐
· 결국 꿀이는 현금으로 결제했어요.	☐	☐

상황 이해 다음 질문에 적절한 답을 찾아보세요.

1. 여기는 어디인가요?

학교	집	카페	학원

2. 누구와 누구의 대화인가요?

꿀이와 사장님	꿀이와 양이	꿀이와 아저씨	꿀이와 선생님

3. 누구의 행동이 이상한가요?

아저씨	양이	꿀이	사장님

4. 꿀이는 어떤 카드로 결제하려고 했나요?

꿀이 카드	엄마 카드	양이 카드	앞 테이블 위에 있는 카드

5. 꿀이가 다른 사람의 카드로 계산하자고 하자 양이는 어떤 표정을 지었나요?

당황스러운 표정	즐거운 표정	답답한 표정	지루한 표정

어휘 체크 다음 어휘와 어울리는 문장을 찾아 선을 긋고 알맞은 형태로 써보세요.

어휘	문장
도둑질 •	• 날이 더우니 시원한 ________를 마시고 싶어요.
음료수 •	• 식당에 들어가면 ________로 주문해야 해요.
결제 •	• 아빠가 지갑에서 ________를 꺼냈어요.
키오스크 •	• ________을 하면 경찰 아저씨가 잡아간다고 해요.
카드 •	• 엄마가 카드로 ________를 했어요.

대화 추론 아래의 만화를 읽고 물음에 알맞은 답을 찾아보세요.

나라면 어떻게 말할지 채워보세요.

....

....

....

1. 꿀이는 왜 모르는 사람 카드로 결제하려고 했나요?

① 꿀이 카드를 안 가져와서

② 꿀이 카드가 작아져서

③ 꿀이 카드가 망가져서

④ 꿀이 카드가 날아가서

2. 다른 사람 카드를 주워서 결제하면 어떤 일이 생길 수 있나요?

케이크를 먹는다	경찰서에 가야 한다
칭찬받는다	음료수를 먹는다

3. 양이가 할 말로 알맞은 것을 고르세요.

① 그건 도둑질이야! 절대 안 돼.

② 내가 대신 가져올게.

③ 아저씨한테 물어보자.

④ 사장님 카드 빌려달라고 하자.

4. 결제해야 하는데 돈이나 카드가 없다면 어떻게 해야 하는지 써보세요.

....

활동 더하기 카페에서 결제하는 순서에 맞게 숫자로 써 보세요.

생각 정리 꿀이에게 어떤 말을 해줄까?

- 다른 사람 물건에 손대면 안 돼!
- 내 눈에 보이면 다 내꺼야!
- 도둑질하면 경찰서 가야 해.
- 모르는 사람이어도 사달라 하자.

언어치료 도구상자

사람 주인공 1

21 냄새도 맛도 싫어서 반찬을 안 먹었어요
22 화장실에서 물장난을 쳤어요
23 약은 맛이 없어서 먹기 싫어요
24 급식실에서 새치기하려고 했어요
25 모르는 사람에게 먹고 싶은 것을 말했어요
26 앉을 자리가 없어서 비켜달라고 했어요
27 주차장에서 지하 3층만 고집해요
28 5호기 엘리베이터만 탈 거예요
29 병원 가기 싫다고 울면서 버텨요
30 아는 사람인 줄 알고 인사했어요
31 엘리베이터 문이 열리자 바로 탔어요
32 엘리베이터 안에서 크게 웃었어요
33 안전띠는 답답해서 풀었어요
34 앞을 보지 않고 걷다가 나무에 부딪혔어요
35 계산하지 않고 아이스크림을 먼저 먹었어요
36 음악 시간에 노랫소리가 시끄럽다고 귀를 막고 소리를 질렀어요
37 게임에서 져서 게임판을 던졌어요
38 친구의 티셔츠를 갑자기 만졌어요
39 준비운동도 안 하고 물에 뛰어 들어갔어요
40 수영복은 답답해서 입기 싫어요
41 달리는 차 창밖으로 머리와 손을 내밀었어요
42 늦은 밤에 악기를 연주했어요
43 영화관에서 갑자기 일어나서 만세를 외쳤어요
44 무단횡단을 하려고 했어요
45 립밤을 바르기 싫어하다 입술이 터졌어요
46 더 먹고 싶어서 친구 반찬을 뺏으려고 했어요

21 냄새도 맛도 싫어서 반찬을 안 먹었어요

어휘 풀이

☐ **골고루**
부사 두루두루, 균등히

☐ **영양소**
명사 몸에 필요한 에너지를 공급하는 물질

☐ **질기다**
형용사 물건이 쉽게 끊어지지 아니하고 견디는 힘이 세다

☐ **냄새**
명사 코로 맡거나 느끼는 기운

☐ **건강**
명사 정신적으로나 육체적으로 아무 탈이 없고 튼튼함

아빠와 엄마는 내가 **골고루** 먹지 않아서 **영양소**가 부족할까 봐 매번 걱정하세요. 하지만 나는 김, 밥, 과일만 먹고 싶어요. 고기는 **질기고**, 채소는 **냄새**가 이상해서 먹기 싫어요. 사실 나도 알아요. 골고루 먹어야 **건강**해진다는 걸요. 그런데 막상 먹으려고 입에 넣으면 삼키기가 어려워요. 나도 다른 친구들처럼 골고루 잘 먹고 싶은데, 어떻게 하면 맛있게 잘 먹을 수 있을까요?

O X

다음 문장을 읽고 위 내용과 맞으면 O, 틀리면 X에 체크하세요.

	O	X
· 부모님은 예나가 편식하는 것을 몰라요.	☐	☐
· 예나는 김과 밥, 과일을 싫어해요.	☐	☐
· 예나는 고기를 좋아해서 자주 먹어요.	☐	☐
· 예나는 채소 냄새가 이상하다고 느껴요.	☐	☐
· 예나는 다른 친구들처럼 골고루 먹고 싶어요.	☐	☐

상황 이해 다음 질문에 적절한 답을 찾아보세요.

1. 무엇을 하는 상황인가요?

밥을 먹는 상황	숙제를 하는 상황	운동하는 상황	그림을 그리는 상황

2. 누구와 누구의 대화인가요?

예나와 사장님	예나와 엄마	예나와 선생님	예나와 할머니

3. 누구의 행동이 이상한가요?

아빠	언니	예나	엄마

4. 아빠와 엄마가 걱정하는 것은 무엇인가요?

이를 구석구석 닦지 않는 것	글씨를 또박또박 쓰지 않는 것	골고루 먹지 않는 것	잠을 일찍 자지 않는 것

5. 예나가 골고루 먹지 않을 때, 엄마와 아빠는 어떤 표정을 지었나요?

화가 난 표정	걱정되는 표정	기대되는 표정	미운 표정

어휘 체크 다음 어휘와 어울리는 문장을 찾아 선을 긋고 알맞은 형태로 써보세요.

질기다 •	• 음식을 ____________ 먹어야 튼튼해져요.
냄새 •	• 갑자기 방귀 __________가 났어요.
건강 •	• 운동을 해야 __________해져요.
골고루 •	• 이 음식에는 ____________가 골고루 들어 있어요.
영양소 •	• 아빠가 구워준 고기가 ____________.

대화 추론 아래의 만화를 읽고 물음에 알맞은 답을 찾아보세요.

나라면 어떻게 말할지 채워보세요.

...

...

...

1. 예나는 왜 고기와 채소를 먹지 않았나요?

① 고기는 질기고 채소는 싱싱해서

② 고기는 부드럽고 채소는 냄새나서

③ 고기는 질기고 채소는 냄새나서

④ 고기는 부드럽고 채소는 싱싱해서

2. 음식을 골고루 먹지 않으면 어떻게 될까요?

영양소가 부족해진다	살이 찐다
건강해진다	배가 아파진다

3. 예나가 할 말로 알맞은 것을 고르세요.

① 엄마 왜 거짓말을 하세요?

② 엄마나 드세요.

③ 버리고 싶어요.

④ 안 먹고 싶어요.

4. 음식을 건강하고 골고루 먹을 수 있는 방법은 무엇이 있을지 써보세요.

...

활동 더하기 예나가 다양한 음식을 먹을 수 있도록 식탁을 꾸며 보세요.

생각 정리 예나에게 어떤 말을 해줄까?

- 골고루 먹으면 건강해져.
- 골고루 먹으면 배가 아파져.
- 골고루 먹지 않으면 건강해져.
- 힘들어도 계속 도전하면
  골고루 먹을 수 있게 될 거야.

22 화장실에서 물장난을 쳤어요

어휘 풀이

☐ **덥다**
형용사 온도가 높다

☐ **수영장**
명사 유영장, 풀

☐ **욕조**
명사 목욕을 할 수 있도록 물을 담는 용기

☐ **물대포**
명사 높은 압력의 물을 쏘는 장치를 비유적으로 이르는 말

☐ **적군**
명사 적의 군대나 군사

오늘은 정말 **덥다** 못해 숨이 막힐 정도예요. 시원한 **수영장**에 가고 싶었지만, 동생이 아파서 집에서 나갈 수 없었어요. 그래서 엄마가 욕실 **욕조**에 시원한 물을 받아 주셨어요. 욕조 안에서 첨벙첨벙 놀다가, 갑자기 전쟁놀이하면 재밌겠다는 생각이 떠올랐어요. 샤워기를 들고 '**물대포**'로 변신! "휴지 위에 있는 **적군**이여! 나의 물대포 맛 좀 봐라!" "거울에 붙은 적군이여! 나의 물대포를 받아라!" "세면대 위의 적군이여! 이 물대포를 피해 보시지!" 적군을 향해 물을 뿌릴 때마다 웃음이 터졌어요. 수영장에 못 갔지만, 욕조 안에서 펼쳐진 나만의 전쟁놀이가 정말 즐거웠어요.

다음 문장을 읽고 위 내용과 맞으면 O, 틀리면 X에 체크하세요.

	O	X
· 아빠가 바쁘셔서 수영장에 가지 못했어요.	☐	☐
· 엄마는 욕조에 따뜻한 물을 받아주셨어요.	☐	☐
· 승우는 물총대신 샤워기를 사용해서 놀았어요.	☐	☐
· 승우는 휴지에 물을 뿌렸어요.	☐	☐
· 전쟁놀이는 너무 지루했어요.	☐	☐

상황 이해 다음 질문에 적절한 답을 찾아보세요.

1. 어디에서 물대포 놀이를 하고 있나요?

베란다	현관	화장실	방

2. 누구의 행동이 이상한가요?

동생	엄마	삼촌	승우

3. 무엇을 하고 했나요?

화장실에서 물놀이	화장실에서 용변 보기	화장실에서 머리 말리기	화장실에서 세수하기

4. 물대포 놀이를 하고 나서 화장실이 어떻게 되었나요?

물바다가 되었다	물이 안 나왔다	물이 얼었다	물이 뜨거워졌다

5. 화장실에게 장난치는 승우의 모습을 본 엄마는 어떤 마음이 들까요?

기대되는 마음	두려운 마음	화나는 마음	행복한 마음

어휘 체크 다음 어휘와 어울리는 문장을 찾아 선을 긋고 알맞은 형태로 써보세요.

수영장 •	• 동생과 함께 ________에서 물놀이했어요.
물대포 •	• 물풍선에 물을 넣고 __________ 놀이를 했어요.
적군 •	• 우리의 힘으로 ________을 물리쳤어요.
덥다 •	• 점심때가 되니 날씨가 ______________.
욕조 •	• 온 가족이 ____________에서 신나게 놀았어요.

대화 추론 아래의 만화를 읽고 물음에 알맞은 답을 찾아보세요.

나라면 어떻게 말할지 채워보세요.

....

....

....

1. 승우는 왜 수영장에 가지 못했나요?

① 아빠가 바쁘셔서

② 엄마가 아프셔서

③ 동생이 아파서

④ 승우가 수영장을 싫어해서

2. 화장실 아무 곳에나 물을 뿌리면 화장실에 있는 물건들이 어떻게 될까요?

다 젖는다	없어진다
깨진다	딱딱해진다

3. 엄마가 할 말로 알맞은 것을 고르세요.

① 휴지가 젖었네? 다음에 또 쓸 수 있겠구나.

② 와 바다다~ 엄마도 같이 수영하자.

③ 샤워기를 뽑아야겠구나!

④ 화장실이 물바다가 되었잖아! 이게 뭐니!

4. 집에서 시원하고 즐겁게 물놀이를 할 수 있는 방법에는 무엇이 있을지 써보세요.

....

활동 더하기 아래 물건을 오려서 화장실을 꾸며 보세요.

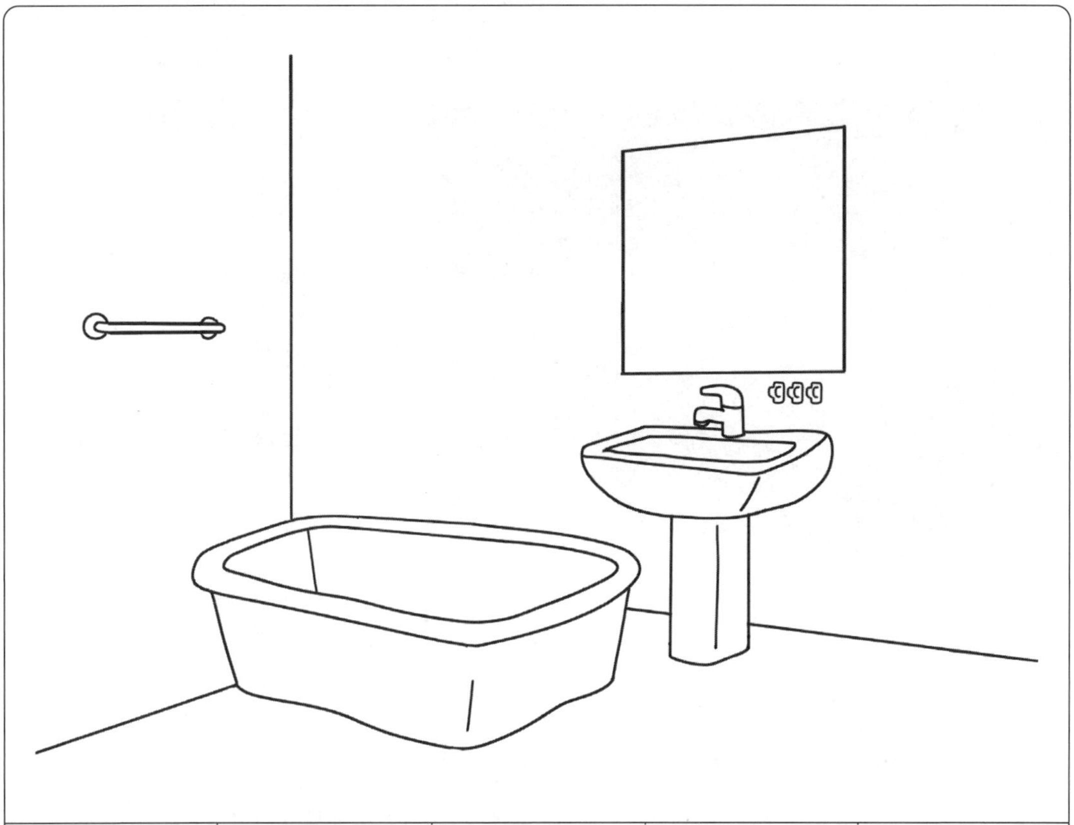

생각 정리 승우에게 어떤 말을 해줄까?

- 재미있게 놀고 잘 청소하자.
- 화장실에 물기가 많으면 미끄러질 수 있어.
- 물을 더 많이 틀어서 바다처럼 만들자!
- 물을 많이 틀면 절약할 수 있어.

23 약은 맛이 없어서 먹기 싫어요

어휘 풀이

- ☐ **고열** (명사) 몸의 높은 열
- ☐ **해열제** (명사) 몸의 열을 내리게 하는 약
- ☐ **토하다** (동사) 구역질하다, 게우다
- ☐ **응급실** (명사) 병원에서 환자의 응급 처치를 할 수 있도록 갖춘 방
- ☐ **맞다** (동사) 주사 따위로 치료를 받다

몸이 뜨겁고, 힘이 하나도 없어요. 아빠가 이마에 얼음주머니를 올려 주셨지만, 열이 잘 안 떨어지고 **고열**이 계속되고 있어요. 아빠는 "**해열제**를 먹어야 열이 내려"라고 하시며 약을 가져오셨어요. 그런데 그 딸기 맛 시럽 약만 보면 **토할** 것 같아서 먹기 싫었어요. 차라리 시럽 말고 가루약이면 조금 나을 것 같은데… 아빠는 지금 약을 먹지 않으면 **응급실**에 가서 주사를 **맞아야** 한다고 하셨어요. 정말 주사를 맞아야 할까? 약을 억지로라도 먹어야 할까? 고민되지만, 얼른 나으려면 참아야 할 것 같아요.

다음 문장을 읽고 위 내용과 맞으면 O, 틀리면 X에 체크하세요.

	O	X
· 승우는 열이나서 이마에 얼음주머니를 올렸어요.	☐	☐
· 열이나면 해열제를 먹어야 해요.	☐	☐
· 승우는 딸기맛 시럽약을 좋아해요.	☐	☐
· 승우는 가루약 밖에 없어서 먹기 싫었어요.	☐	☐
· 승우는 응급실에 주사를 맞으러 가기로 했어요.	☐	☐

상황 이해 다음 질문에 적절한 답을 찾아보세요.

1. 승우는 지금 어떤 상황인가요?

간지러워요	배고파요	열이 나요	콧물이나요

2. 누구의 행동이 이상한가요?

승우	엄마	아빠	이모

3. 승우는 무엇을 해야 하나요?

약 붙이기	약 먹기	약 만들기	약 넣기

4. 승우는 왜 약 먹기가 어렵다고 했을까요?

날아갈 것 같아서	맛있을 것 같아서	토할 것 같아서	간지러울 것 같아서

5. 약을 잘 못 먹는 승우를 본 아빠는 어떤 표정을 지었나요?

걱정되는 표정	두려운 표정	행복한 표정	즐거운 표정

어휘 체크 다음 어휘와 어울리는 문장을 찾아 선을 긋고 알맞은 형태로 써보세요.

맞다 •	• 독감에 걸려서 ________이 났어요.
응급실 •	• 상한 음식을 먹고 ________.
토하다 •	• 새벽에 너무 아파서 ________에 갔어요.
해열제 •	• 예방주사를 ________ 병원에 갔어요.
고열 •	• 열이 나서 ________를 먹었어요.

대화 추론 아래의 만화를 읽고 물음에 알맞은 답을 찾아보세요.

나라면 어떻게 말할지 채워보세요.

....

....

....

1. 승우는 왜 약을 안 먹으려고 하나요?

① 먹으면 뚱뚱해져서

② 먹으면 토할 것 같아서

③ 먹으면 키가 커져서

④ 먹으면 졸려서

2. 열이 나는데 해열제를 먹지 않으면 어떻게 될까요?

코피 난다	열이 난다
콧물이 난다	열이 떨어진다

3. 아빠가 할 말로 알맞은 것을 고르세요.

① 그럼, 조금씩이라도 먹어보자.

② 약 먹으면 아빠한테 혼난다.

③ 토하더라도 약 먹어.

④ 열나도 약 먹지 말자.

4. 약을 먹기 힘들 때 잘 먹을 수 있는 방법에는 무엇이 있을지 써보세요.

....

활동 더하기 아래 그림을 오려서 약사가 알려준 대로 만들어 보세요.

생각 정리 승우에게 어떤 말을 해줄까?

- 열이 날 때 약을 안 먹으면 큰일 날 수 있어.
- 약 먹기 싫으면 먹지 마! 계속 열나면 되지!
- 응급실 가서 주사 맞으면 아플 거야. 약 먹고 응급실 가지 말자.
- 열 나도 약 안 먹고 기다리면 열이 떨어질 거야.

24 급식실에서 새치기하려고 했어요

어휘 풀이

- □ **배고프다** 형용사 속이 비어서 음식이 먹고 싶다
- □ **급식실** 명사 단체로 식사를 제공하는 곳
- □ **새치기** 명사 순서를 어기고 남의 앞자리에 끼어드는 일
- □ **혼자** 명사, 부사 남의 도움 없이 스스로
- □ **잡히다** 동사 걸리다

오늘은 늦잠을 자는 바람에 아침을 아무것도 못 먹고 나왔어요. 수업을 열심히 듣고 나니 너무 **배고팠어요**. 드디어 점심시간! 열심히 달려서 **급식실**로 갔더니, 앞에 서 있는 친구들이 너무 많아 줄이 길게 늘어서 있었어요. 나는 승우에게 **새치기**하자고 살짝 말했어요. 하지만 승우는 "새치기하면 안 돼. 그냥 기다리자"라고 했어요. 나는 너무 배가 고파서 새치기하려고 **혼자** 앞으로 뛰어가려는 순간 선생님께 딱 **잡히고** 말았어요. 결국 줄 맨 뒤로 가서 다시 기다리면서, 왜 새치기를 하면 안 되는지 생각하게 되었어요.

다음 문장을 읽고 위 내용과 맞으면 O, 틀리면 X에 체크하세요.

	ⓞ	⊗
· 늦잠을 자서 아침을 조금밖에 못 먹었어요.	□	□
· 수업이 끝나자 급식실로 달려갔어요.	□	□
· 점심시간에 급식실에는 친구들이 많지 않았어요.	□	□
· 이준이와 승우는 같이 새치기 했어요.	□	□
· 결국 이준이는 맨 뒤로 가서 기다리게 되었어요.	□	□

상황 이해 다음 질문에 적절한 답을 찾아보세요.

1. 이준이는 지금 어디인가요?

교실	급식실	운동장	보건실

2. 누구의 행동이 이상한가요?

선생님	아빠	이준	형

3. 이준이는 무엇을 하려고 했나요?

줄 서서 기다리기	기다리지 않고 새치기하기	친구들과 어울려 놀기	친구들에게 소리 지르기

4. 이준이는 뛰어가려다 어떻게 되었나요?

선생님 옆에 앉았다	선생님께 인사를 했다	선생님에게 잡혔다	선생님과 어깨동무했다

5. 이준이가 새치기하려고 하자 친구들은 어떤 표정을 지었나요?

화난 표정	웃는 표정	즐거운 표정	행복한 표정

어휘 체크 다음 어휘와 어울리는 문장을 찾아 선을 긋고 알맞은 형태로 써보세요.

급식실 •	• 너무 ________ 빵을 먹었어요.
새치기 •	• 친구들과 ________ 앞에서 줄을 섰어요.
배고프다 •	• 모르는 사람이 ________를 하려고 해서 화를 냈어요.
잡히다 •	• ________ 집에 있으니 심심해요.
혼자 •	• 친구들과 꼬리 ________ 게임을 했어요.

대화 추론 아래의 만화를 읽고 물음에 알맞은 답을 찾아보세요.

나라면 어떻게 말할지 채워보세요.

....

....

....

1. 이준이는 왜 새치기하려고 하나요?

① 빨리 만들고 싶어서

② 빨리 사고 싶어서

③ 빨리 먹고 싶어서

④ 빨리 버리고 싶어서

2. 많은 사람이 줄을 서 있는데 내가 새치기하면 사람들이 어떤 반응을 보일까요?

좋아한다	싫어한다
박수 쳐준다	웃어준다

3. 승우가 할 말로 알맞은 것을 고르세요.

① 좋아! 얼른 앞으로 뛰어가자.

② 새치기하지 말고, 줄 서서 기다리자.

③ 너는 참 좋은 생각을 하는구나.

④ 너 어떻게 그런 생각을 하니? 최고야.

4. 급식실에서 지켜야 할 규칙은 무엇이 있을지 써보세요.

....

활동 더하기 친구들의 식판에 음식을 나눠주고, 어떤 음식을 주었는지 말해 보세요.

생각 정리 이준이에게 어떤 말을 해줄까?

- 새치기해도 다른 애들이 이해해 줄 거야.
- 기다리는 친구들이 있는데 예의를 지키자! 새치기하지 말고 기다려.
- 너는 줄 서 있는데 다른 친구가 새치기하면 넌 어떻겠니?
- 우리 진짜 배고픈데 새치기하자!

25 모르는 사람에게 먹고 싶은 것을 말했어요

어휘 풀이

- ☐ **마치다**
  동사 끝내다, 끝마치다
- ☐ **냄새**
  명사 코로 맡을 수 있는 기운
- ☐ **배달**
  명사 물건을 날라다 줌
- ☐ **주문**
  명사 요구, 요청
- ☐ **저녁**
  명사 해가 질 무렵부터 밤이 되기까지의 사이

수영 수업을 **마치고** 집으로 돌아가는 길, 엘리베이터를 탔어요. 그런데 어디선가 너무 맛있는 **냄새**가 나는 거예요. 고개를 돌려 보니, 그 냄새의 정체는 바로 치킨! 나도 모르게 **배달** 아저씨 앞에 서서 "저도 치킨 먹고 싶어요…" 하고 말해 버렸어요. 엄마는 깜짝 놀라며 아저씨에게 죄송하다고 말씀하시고, "집에 가면 **주문**해 줄게."라고 하셨어요. 오늘 **저녁**은 치킨이다! 엄마가 얼른 주문하고 배달이 빨리 왔으면 좋겠어요.

다음 문장을 읽고 위 내용과 맞으면 O, 틀리면 X에 체크하세요.

	O	X
• 수영 수업을 마치고 집에 들어가는 길이에요.	☐	☐
• 엘리베이터에서 햄버거 냄새가 났어요.	☐	☐
• 예나는 아저씨에게 말을 걸었어요.	☐	☐
• 엄마는 배달 아저씨에게 고맙다고 인사했어요.	☐	☐
• 엄마가 저녁에 치킨을 주문해준다고 했어요.	☐	☐

상황 이해 다음 질문에 적절한 답을 찾아보세요.

1. 예나는 지금 어디인가요?

집 안	수영장	엘리베이터 안	엘리베이터 밖

2. 누구의 행동이 이상한가요?

엄마	예나	동생	배달 기사님

3. 예나는 무엇을 했나요?

아저씨에게 치킨 먹고 싶다고 말함	아저씨에게 반갑게 인사를 함	아저씨에게 몇 층 가는지 물어봄	아저씨에게 같이 가자고 말함

4. 예나의 행동을 본 엄마는 아저씨에게 어떤 말을 했나요?

부탁합니다	죄송합니다	고맙습니다	몇 층 가세요?

5. 예나가 아저씨에게 치킨을 먹고 싶다고 하자 아저씨는 어떤 표정을 지었나요?

즐거운 표정	행복한 표정	당황한 표정	화나는 표정

어휘 체크 다음 어휘와 어울리는 문장을 찾아 선을 긋고 알맞은 형태로 써보세요.

어휘	문장
마치다 •	• 빵 가게 앞을 지나가는데, 빵 ________가 났어요.
냄새 •	• 우리가 주문한 피자가 ________ 완료되었다고 해요.
배달 •	• ________에 공원에서 만나기로 했어요.
저녁 •	• 학원을 ________ 집으로 갔어요.
주문 •	• 형은 짬뽕, 나는 짜장면을 ________ 했어요.

대화 추론 아래의 만화를 읽고 물음에 알맞은 답을 찾아보세요.

나라면 어떻게 말할지 채워보세요.

....

....

....

1. 예나는 왜 치킨 배달 아저씨한테 치킨을 먹고 싶다고 말했나요?
   ① 냄새가 나니 토할 것 같아서
   ② 냄새가 나니 배부른 느낌이 들어서
   ③ 냄새가 나니 먹고 싶어서
   ④ 냄새가 나니 속상해서

2. 모르는 사람에게 먹고 싶은 것을 말하면 어떤 반응을 보일까요?

소리 지른다	당황한다
도망간다	운다

3. 엄마가 할 말로 알맞은 것을 고르세요.
   ① 엄마가 더 먹고 싶어.
   ② 엄마는 피자를 좋아해.
   ③ 아저씨한테 사달라고 해.
   ④ 엄마가 주문해 줄게.

4. 맛있는 냄새가 나서 먹고 싶은 마음이 들 땐 어떻게 해야 할지 써보세요.

....

활동 더하기 아래 대화를 읽고 상황에 맞는 대상을 찾아 ○ 하세요.

상황 1

친구와 장난을 쳐서 선생님께 혼이 났다. **"잘못했어요.. 수업에 집중할게요."**라는 말을 누구에게 해야 할까?

선생님	친구

상황 2

엄마와 장난감 가게에 갔어요. **"로봇 장난감이 어디에 있어요?"**라는 말을 누구에게 해야 할까?

가게 주인	엄마

상황 3

형과 함께 놀이터에 갔는데 같은 반 친구를 만났다. **"우리 같이 놀자~ 학교에서 보고 여기에서 또 보니 반갑다."** 라는 말은 누구에게 해야 할까?

형	친구

상황 4

목이 따끔해서 아빠와 함께 약국에 왔다. **"어제부터 목이 따끔해요. 약 좀 주세요."**라는 말을 누구에게 해야 할까?

약사 선생님	아빠

생각 정리 예나에게 어떤 말을 해줄까?

아저씨가 네 말 듣고 엄청나게 당황하였겠다.

아저씨한테 만들어 달라고 해.

엘리베이터 안 이니 엄마에게 조용히 말해야지.

너는 생각이 있냐? 없냐?

26 앉을 자리가 없어서 비켜달라고 했어요

어휘 풀이

- ☐ **박물관**
  명사 학술 자료를 수집, 보전, 진열하여 전시한 곳
- ☐ **관람**
  명사 구경
- ☐ **지하철**
  명사 지하 철도 위를 달리는 전동차
- ☐ **예의**
  명사 매너, 예절
- ☐ **행동**
  명사 몸을 움직여 동작을 함

오늘은 엄마와 함께 **박물관**에 다녀왔어요. 전시실이 3층까지 있어서 관람하느라 다리가 많이 아팠어요. 관람을 마치고 집으로 돌아가려고 **지하철**을 탔는데, 앉을 자리가 하나도 없었어요. 나는 너무 다리가 아파서, 앉아 있는 아저씨 앞에 가서 "저 다리 아파요, 앉고 싶어요. 비켜주세요." 하고 말했어요. 그 순간, 엄마가 깜짝 놀라며 아저씨께 죄송하다고 인사하시고 나를 조용히 다른 칸으로 데리고 갔어요. 엄마는 "자리가 날 때까지 기다리는 게 **예의**야. 앉아 있는 분에게 말하는 건 예의에 맞지 않는 **행동**이야"라고 말씀해 주셨어요. 나는 조금 부끄러웠지만, 다음엔 조용히 기다리기로 다짐했어요.

다음 문장을 읽고 위 내용과 맞으면 O, 틀리면 X에 체크하세요.

	O	X
· 엄마와 함께 박물관에 다녀왔어요.	☐	☐
· 박물관을 관람하느라 팔이 많이 아팠어요.	☐	☐
· 지하철을 탔는데 앉을 자리가 많이 있었어요.	☐	☐
· 지아는 앉아 있는 아저씨에게 비켜달라고 말했어요.	☐	☐
· 엄마는 자리가 날 때까지 기다려야 한다고 했어요.	☐	☐

상황 이해 다음 질문에 적절한 답을 찾아보세요.

1. 지아는 지금 어디에 있나요?

지하철 위	지하철 안	지하철역	지하철 매표소

2. 누구의 행동이 이상한가요?

지아	아저씨	엄마	언니

3. 지아는 어떤 상황인가요?

다리가 간지럽다	다리가 아프다	다리가 벌어졌다	다리가 짧다

4. 지아는 다리가 아파서 어떻게 했나요?

앉아 있는 사람을 밀었다	앉아 있는 사람 앞에 가서 이야기했다	앉아 있는 사람을 쳐다보았다	지하철 안을 뛰어다녔다

5. 지아가 앉아있는 사람에게 비켜달라고 말하자 엄마는 어떤 표정을 지었나요?

무서운 표정	즐거운 표정	당황하는 표정	행복한 표정

어휘 체크 다음 어휘와 어울리는 문장을 찾아 선을 긋고 알맞은 형태로 써보세요.

행동 •	• 박물관을 ________하러 온 사람들이 많았어요.
예의 •	• 옆집 할아버지에게 인사했더니 ________ 바르다고 칭찬해 주셨어요.
지하철 •	• 버릇없는 ________을 하면 혼나요.
박물관 •	• 역에 내려서 조금만 걸어가면 ________이 있어요.
관람 •	• 오빠와 ________을 타고 박물관에 갔어요.

대화 추론 아래의 만화를 읽고 물음에 알맞은 답을 찾아보세요.

나라면 어떻게 말할지 채워보세요.

....

....

....

1. 지아는 왜 앉아 있는 사람한테 비켜달라고 말했을까요?

① 다리가 간지러워서

② 다리가 길어져서

③ 다리가 아파서

④ 다리 모양이 이상해서

2. 지하철에서 앉아 있는 사람한테 앉고 싶다고 말하면 앉아 있는 사람이 어떻게 반응할까요?

때린다	소리지른다
당황해한다	운다

3. 엄마가 할 말로 알맞은 것을 고르세요.

① 다리 아프다고 소리 지르자.

② 자리가 날 때까지 기다리자.

③ 비켜달라고 말하자.

④ 콩콩 뛰어다니자.

4. 다리가 아파 앉고 싶은데 앉을 자리가 없다면 어떻게 하면 좋을지 써보세요.

....

예절을 지키지 않는 사람을 찾아 ○하고, 바른 행동은 무엇인지 말해 보세요.

생각 정리 지아에게 어떤 말을 해줄까?

- 아무리 다리가 아파도 자리가 날 때까지 기다려야 해.
- 다리가 너무 아프면 소리 질러야지.
- 다리 아픈데 자리가 없어서 더 힘들었겠다.
- 자리가 없을 수도 있지! 그거 하나 못 참니?

27 주차장에서 지하 3층만 고집해요

어휘 풀이

- ☐ **로봇** 명사 기계
- ☐ **주차** 명사 자동차를 일정한 곳에 세워 둠
- ☐ **지하** 명사 땅속
- ☐ **떼쓰다** 동사 고집부리다
- ☐ **만차** 명사 주차장에 차가 들어갈 수 있는 공간이 다 참

오늘은 **로봇** 학원에 가는 날이에요. 그 학원이 있는 건물 지하 3층에는, 내가 정말 좋아하는 파란 자동차가 항상 **주차**되어 있어요. 그래서 오늘도 그 파란 차를 볼 생각에 잔뜩 기대하고 있었어요. 그런데 엄마가 **지하** 4층으로 내려가는 거예요! 나는 깜짝 놀라서 "지하 3층에 주차해요!"라며 **떼를** 썼어요. 하지만 엄마는 "지하 3층은 **만차**라서 주차할 자리가 없어"라고 하셨어요. 결국 파란 자동차를 못 보게 돼서 너무 아쉬웠어요. 다음엔 꼭 다시 만날 수 있으면 좋겠어요.

다음 문장을 읽고 위 내용과 맞으면 O, 틀리면 X에 체크하세요.

	O	X
· 이준이는 컴퓨터 학원에 다녀요.	☐	☐
· 지하 3층에는 빨간 자동차가 항상 주차되어 있어요.	☐	☐
· 엄마는 만차라서 지하 3층에 주차할 수 없다고 했어요.	☐	☐
· 엄마는 지하 4층에 주차했어요.	☐	☐
· 4층에서 파란 자동차를 봤어요.	☐	☐

상황 이해 다음 질문에 적절한 답을 찾아보세요.

1. 이준이는 지금 어디인가요?

엘리베이터	음식점	영화관	주차장

2. 누구의 행동이 이상한가요?

엄마	선생님	이준	경비아저씨

3. 이준이는 엄마에게 어떤 말을 했나요?

옥상에 주차해요	지하 3층에 주차해요	지상에 주차해요	주차장에 들어가지 말아요

4. 주차장이 가득 찬 상태를 뭐라고 하나요?

꽉 차	덜 차	만차	밥차

5. 이준이가 지하 3층에만 주차하자고 말하자 엄마는 어떤 표정을 지었나요?

당황한 표정	우는 표정	웃는 표정	즐거운 표정

어휘 체크 다음 어휘와 어울리는 문장을 찾아 선을 긋고 알맞은 형태로 써보세요.

지하 •	• 삼촌이 생일 선물로 ________을 사주셨어요.
만차 •	• 지하 2층에 ________를 하고 7층으로 올라가면 돼요.
로봇 •	• ________철은 지하에서 다니는 기차에요.
주차 •	• 동생이 장난감을 사달라고 ________ 엄마에게 혼났어요.
떼쓰다 •	• 1번 주차장이 ________라서 2번 주차장으로 갔어요.

대화 추론 아래의 만화를 읽고 물음에 알맞은 답을 찾아보세요.

나라면 어떻게 말할지 채워보세요.

....

....

....

1. 이준이는 왜 지하 3층에 주차하자고 떼를 썼나요?

① 엄마 차가 이상해져서

② 주차장에 차가 많아서

③ 엄마 차 바퀴가 고장 나서

④ 파란 차가 보고 싶어서

2. 엄마는 왜 주차하러 지하 4층으로 내려갔나요?

자리가 커서	자리가 작아서
자리가 없어서	자리가 많아서

3. 엄마가 할 말로 알맞은 것을 고르세요.

① 주차 공간이 없어서 못 해.

② 엄마는 지하 3층이 싫어.

③ 지하 3층은 어두워서 주차를 못 해.

④ 학원 가기 싫으니?

4. 내가 기대했던 것을 보지 못했을 때 어떻게 해야 할지 써보세요.

....

활동 더하기 동물 친구들의 대화를 읽고, 가야 할 알맞은 층에 붙여보세요.

배고파 밥 먹으러 가자

엄마 생신 선물로 화장품을 살 거야

아빠랑 같이 장난감을 사러 가기로 했어

할아버지 선물로 바지를 사려고 해

학교에 입학하는 아들 옷을 사야 해

엄마에게 어울리는 셔츠를 구경할래

햇빛을 보며 좀 쉬고 싶어

커피한잔 하고 싶어

생각 정리 이준이에게 어떤 말을 해줄까?

지하 3층은 만차라서 다른 층에 주차해야겠네!

아쉽지만 어쩌겠어···. 다른 층에 주차해야지.

너는 왜 이렇게 생각이 없냐?

주차장에 꼭 주차해야 해?

28 5호기 엘리베이터만 탈 거예요

어휘 풀이

- ☐ **엘리베이터**
  명사 승강기
- ☐ **스티커**
  명사 뒷면에 접착제가 있어 붙일 수 있는 것
- ☐ **먼저**
  부사 미리
- ☐ **빨리**
  부사 급히, 냉큼
- ☐ **타다**
  동사 승차하다

미술학원을 마치고 집으로 가는 길이에요. 우리 아파트에는 5호기 **엘리베이터**와 6호기 엘리베이터가 있는데, 나는 항상 5호기 엘리베이터를 더 좋아해요. 왜냐하면 5호기 엘리베이터 거울에는 멋진 로봇 **스티커**가 붙어 있거든요. 그런데 오늘은 6호기 엘리베이터가 **먼저** 열렸어요. 엄마가 "형아 데리러 가야 하니까 **빨리 타자**"고 하셨지만, 나는 "5호기 엘리베이터를 타고 싶어요!"라며 고개를 저었어요. 엄마는 조용히 말씀하셨어요. "오늘은 먼저 도착한 엘리베이터를 타야 해. 다음에 또 5호기 탈 기회가 있겠지?" 나는 아쉬웠지만, 6호기 엘리베이터에 엄마랑 함께 탔어요.

다음 문장을 읽고 위 내용과 맞으면 O, 틀리면 X에 체크하세요.

	O	X
• 승우는 미술학원에 다녀요.	☐	☐
• 승우는 6호기 엘리베이터를 좋아해요.	☐	☐
• 6호기 엘리베이터 거울에는 로봇 스티커가 붙어 있어요.	☐	☐
• 오늘 먼저 도착한 엘리베이터는 6호기예요.	☐	☐
• 결국 나는 5호기를 타고 엄마는 6호기를 탔어요.	☐	☐

상황 이해 다음 질문에 적절한 답을 찾아보세요.

1. 승우는 무엇을 타려고 하나요?

회전목마	자동차	자전거	엘리베이터

2. 누구와 누구의 대화인가요?

엄마와 아빠	엄마와 승우	선생님과 엄마	아빠와 선생님

3. 누구의 행동이 이상한가요?

동생	엄마	아빠	승우

4. 어떤 엘리베이터가 먼저 왔나요?

4호기	5호기	6호기	7호기

5. 승우가 5호기 엘리베이터만 기다린다고 할 때, 엄마는 어떤 마음이 들까요?

뿌듯한 마음	당황한 마음	즐거운 마음	기대되는 마음

어휘 체크 다음 어휘와 어울리는 문장을 찾아 선을 긋고 알맞은 형태로 써보세요.

빨리 •	• 엘리베이터 문이 닫히려고 해서 ________ 타라고 했어요.
엘리베이터 •	• 학원에 도착하면 제일 ________ 전화하기로 했어요.
스티커 •	• ______________에 사람이 많아서 다시 내렸어요.
타다 •	• 문구점에서 동물 ________를 샀어요.
먼저 •	• 여행을 가려고 아빠 차에 ________ 설렜어요.

대화 추론 아래의 만화를 읽고 물음에 알맞은 답을 찾아보세요.

나라면 어떻게 말할지 채워보세요.

....

....

....

1. 승우는 왜 5호기 엘리베이터를 타려고 했을까요?

① 거울에 있는 스티커를 보려고

② 5 숫자가 좋아서

③ 5호기 엘리베이터가 먼저 와서

④ 5호기 엘리베이터는 너무 빨라서

2. 먼저 도착한 엘리베이터를 타지 않으면 어떻게 될까요?

밀어야 한다	만들어야 한다
붙여야 한다	계속 기다려야 한다

3. 승우가 할 말로 알맞은 것을 고르세요.

① 그럼, 먼저 도착한 엘리베이터 탈게요.

② 그래도 기다렸다가 5호기 엘리베이터 타고 싶어요.

③ 엘리베이터 안 탈래요.

④ 계단으로 내려갈래요.

4. 여러 대의 엘리베이터가 있을 때는 어떤 엘리베이터를 타야하는지 써보세요.

....

활동 더하기 엘리베이터 안내판을 보고 알맞은 답을 찾아보세요.

1. 부동산의 이름은 무엇인가요?
2. 부동산이 일을 하는지 알고 싶으면 어느 번호로 전화해야 하나요?
3. 옷을 빨아야 한다면 어디로 가야 할까요?
4. 드림세탁소 옆에는 어떤 가게가 있나요?

생각 정리 승우에게 어떤 말을 해줄까?

- 5호기 타고 싶은 마음을 참아.
- 먼저 도착한 6호기 엘리베이터 타자.
- 엘리베이터가 다 똑같지 뭐~!
- 계단으로 걸어 내려가.

29 병원 가기 싫다고 울면서 버텨요

어휘 풀이

- ☐ **필수**
  명사 꼭 있어야 하거나 하여야 함
- ☐ **예방접종**
  명사 예방주사
- ☐ **독감**
  명사 유행성감기, 인플루엔자
- ☐ **주사**
  명사 주사기에 넣어 혈관 속에 직접 주입하는 일
- ☐ **이끌리다**
  동사 남한테 손을 잡혀 따라가다

우리처럼 어린 친구들은 꼭 받아야 하는 **필수 예방접종**이 있대요. 오늘은 **독감** 예방주사를 맞으러 가는 날이에요. 나는 지금 멀쩡히 건강한데, 왜 **주사**를 맞아야 하는지 솔직히 잘 모르겠어요. 병원에 가서 의사 선생님 얘기 듣는 건 괜찮지만, 주사를 맞는 건 너무 싫어요. "안 갈래!" 하고 떼를 써봤지만, 결국 엄마 손에 **이끌려** 병원 앞까지 오게 됐어요. 나 진짜 주사 싫은데, 예방접종을 안 하면 나중에 아플 때 더 아프고, 주사를 여러 번 맞을 수도 있대요. 음... 그래도 한 번만 찌르면 되는 거니까 건강해지려면 용기를 내야 할 것 같아요.

다음 문장을 읽고 위 내용과 맞으면 O, 틀리면 X에 체크하세요.

	O	X
· 어린아이들은 예방접종을 꼭 안 해도 돼요.	☐	☐
· 예나는 독감 예방주사를 맞으러 병원에 갔어요.	☐	☐
· 예나는 병원에서 주사 맞는 것을 싫어해요.	☐	☐
· 예나는 건강해서 주사를 안 맞아도 된다고 했어요.	☐	☐
· 결국 예나는 떼를 써서 주사를 안 맞았어요.	☐	☐

상황 이해 다음 질문에 적절한 답을 찾아보세요.

1. 예나는 지금 어디인가요?

은행	병원	영화관	식당

2. 누구의 행동이 이상한가요?

예나	의사 선생님	간호사 선생님	엄마

3. 예나는 엄마에게 뭐라고 했나요?

예방접종 하기 싫어요	예방접종 맛있어요?	병원이 좋아요	엄마, 많이 아파요?

4. 엄마는 왜 예방접종을 해야 한다고 했나요?

더 심하게 아파지려고	주사 더 많이 맞으려고	주사 맞으면 배불러져서	더 많은 주사를 안 맞으려고

5. 예방접종 이야기를 들은 예나는 어떤 표정을 지었나요?

즐거운 표정	행복한 표정	기대되는 표정	하기 싫은 표정

어휘 체크 다음 어휘와 어울리는 문장을 찾아 선을 긋고 알맞은 형태로 써보세요.

예방접종 •	• 수영장에 가려면 수영복을 ________로 챙겨야 해요.
이끌리다 •	• 친구는 어제 ____________을 하고 왔다고 해요.
필수 •	• ________에 걸리면 유치원을 못 가요.
주사 •	• 병원에 가면 ________ 맞는 것이 무서워요.
독감 •	• 엄마 손에 ____________ 병원에 도착했어요.

대화 추론 아래의 만화를 읽고 물음에 알맞은 답을 찾아보세요.

나라면 어떻게 말할지 채워보세요.

....

....

....

1. 예나는 왜 병원에 가기 싫다고 하나요?

① 약 먹기 싫어서

② 주사 맞기 싫어서

③ 붕대로 감기 싫어서

④ 의사 선생님이 싫어서

2. 예나가 독감 예방주사를 맞지 않으면 어떻게 될까요?

병에 걸리지 않는다	심하게 아플 수 있다
두드러기가 난다	키가 커진다

3. 엄마가 할 말로 알맞은 것을 고르세요.

① 네가 싫다고 해도 예방접종 해야 해.

② 그럼 예방접종 하지 말고 아파라.

③ 엄마가 주사 안 아프게 놔줄게.

④ 의사 선생님이 간지럽혀 주신대.

4. 예방접종을 하지 않겠다고 우는 동생에게 뭐라고 설명하면 좋을지 써보세요.

....

활동 더하기 동물 친구들의 대화를 읽고, 가야 할 병원에 붙여보세요.

초콜릿을 많이 먹어서
이가 썩은 것 같아

넘어져서 밴드와 연고를
사야 할 것 같아

칠판 글씨가 잘 안 보여
시력검사를 해봐야 할 것 같아

뛰다가 넘어졌는데 발목에서 뚝!
소리가 났어

우리 딸이 배가 아프다고 하네…
그리고 열도 나고 설사도 해

생각 정리 예나에게 어떤 말을 해줄까?

주사가 싫지만, 예방접종은 해야 해.

주사 맞기 싫으면 먹어볼래?

엄마가 맞으라고 하자.

예방접종을 하면 안 아프고 지나갈 수도 있어.

30 아는 사람인 줄 알고 인사했어요

어휘 풀이

- ☐ **산책**
  명사 맑은 공기를 마시거나 운동을 하려고 가까운 거리를 걷는 것
- ☐ **지팡이**
  명사 걸을 때 도움을 얻기 위해 짚는 막대기
- ☐ **외국인**
  명사 다른 나라 사람
- ☐ **갸우뚱하다**
  동사 한쪽으로 약간 기울어져 있다
- ☐ **당황하다**
  동사 놀라다

공원을 **산책**하다 보면 정말 다양한 사람들이 지나가요. 안경을 쓴 할머니, 강아지와 산책하는 누나, **지팡이**를 짚고 천천히 걷는 할아버지, 빠르게 조깅하는 **외국인**, 그리고 자전거를 타고 가는 삼촌도 있었어요. 조깅하는 외국인이 아랫집에 사는 삼촌인 것 같아서 "안녕하세요?" 하고 반갑게 인사했어요. 그런데 가까이 가보니 모르는 사람이었어요. 외국인은 나를 보고 **갸우뚱했어요**. 그 모습을 본 엄마가 말했어요. "아무리 아는 사람처럼 보여도, 먼저 확인하고 인사하는 게 좋아. 처음 보는 사람에게 갑자기 인사를 하면, **당황**할 수도 있어." 나는 조금 부끄러웠지만, 다음부터는 먼저 인사하기 전에 누군지 잘 살펴보기로 했어요.

다음 문장을 읽고 위 내용과 맞으면 O, 틀리면 X에 체크하세요.

	ⓞ	⊗
· 승우는 놀이터에서 킥보드를 타고 있어요.	☐	☐
· 승우는 지나가는 할아버지에게 인사를 했어요.	☐	☐
· 승우가 인사한 사람은 모르는 사람이었어요.	☐	☐
· 승우가 인사하자 반갑게 인사를 받아줬어요.	☐	☐
· 엄마는 인사하기 전에 누구인지 확인하라고 했어요.	☐	☐

상황 이해 다음 질문에 적절한 답을 찾아보세요.

1. 승우는 지금 무엇을 하고 있나요?

식사	산책	달리기	공부

2. 누구의 행동이 이상한가요?

외국인	승우	엄마	할아버지

3. 승우는 공원에서 지나가는 사람들에게 무엇을 했나요?

인사했다	소리 질렀다	때렸다	밀었다

4. 엄마는 왜 인사하기 전에 누군지 잘 살펴보라고 했나요?

사람들이 즐거워해서	사람들이 당황해서	사람들이 화를 내서	사람들이 날아가서

5. 승우가 인사를 했을 때 외국인은 어떤 표정을 지었나요?

즐거운 표정	당황한 표정	화난 표정	하기 싫은 표정

어휘 체크 다음 어휘와 어울리는 문장을 찾아 선을 긋고 알맞은 형태로 써보세요.

외국인 •	• 할아버지 생신 선물로 ＿＿＿＿＿ 를 사드리기로 했어요.
갸우뚱하다 •	• 식당에 들어가니 ＿＿＿＿＿ 들이 많이 있었어요.
산책 •	• 아빠, 엄마와 함께 공원으로 ＿＿＿＿ 을 가기로 했어요.
지팡이 •	• 동생이 갑자기 나를 때려서 ＿＿＿＿＿.
당황하다 •	• 친구는 머리를 ＿＿＿＿＿＿.

대화 추론 아래의 만화를 읽고 물음에 알맞은 답을 찾아보세요.

나라면 어떻게 말할지 채워보세요.

....

....

....

1. 승우는 왜 처음 보는 사람에게 인사를 했나요?

① 모르는 사람을 놀려 주려고

② 모르는 사람이지만 반가워서

③ 아는 사람으로 착각해서

④ 인사하는 것을 좋아해서

2. 처음 보는 사람한테 인사하면 사람들이 어떤 반응을 보일까요?

당황한다	운다
소리 지른다	때린다

3. 엄마가 할 말로 알맞은 것을 고르세요.

① 아는 사람들한테나 인사 잘해라.

② 아무리 아는 사람과 비슷해 보여도 확인해 보고 인사해야지.

③ 넌 무슨 애가 여기저기 인사를 하니?

④ 모르는 사람한테 인사하면 맞을 수도 있어.

4. 처음 보는 사람인지 아는 사람인지 헷갈릴 땐 어떻게 해야 할지 써보세요.

....

활동 더하기 상황에 맞는 인사를 찾아 선으로 이어 보세요.

교실에서 만난 친구에게 •	• 선생님 안녕하세요
등굣길에 만난 선생님에게 •	• 감사합니다
학교에 갈 때 엄마에게 •	• 학교 다녀오겠습니다
하교할 때친구에게 •	• 친구야 안녕?
할머니가 선물을 주셨을 때 •	• 잘 가~ 내일 만나자

생각 정리 승우에게 어떤 말을 해줄까?

- 아무한테나 인사하자.
- 아는 사람인지 확인해 보고 인사해야지!
- 모르는 사람한테 인사하면 당황하잖아!
- 아무한테도 인사하지 말자.

31 엘리베이터 문이 열리자 바로 탔어요

어휘 풀이

- ☐ **키즈카페**
  명사 놀이 시설과 카페의 기능을 함께 갖춘 곳
- ☐ **건물**
  명사 사람이 살거나 일하는 데 쓰려고 지은 큰 집
- ☐ **냅다**
  부사 몹시 빠르고 세찬 모양
- ☐ **째려보다**
  동사 흘겨보다, 노려보다
- ☐ **뒤따라오다**
  동사 쫓아오다

오늘은 승우랑 **키즈카페**에서 만나기로 한 날이에요. 신나게 약속 장소로 가다가, **건물** 안으로 들어가자마자 엘리베이터 문이 딱 열렸어요! 나는 신이 나서 **냅다** 앞으로 뛰어가 엘리베이터를 타려 했어요. 그런데 안에서 내리던 사람들이 나를 **째려보는** 거예요. 그 순간, **뒤따라오던** 엄마가 나를 살짝 붙잡으며 말했어요. "사람들이 다 내리고 나서 타야지~ 그게 예의야." 나는 빨리 키즈카페에 가고 싶어서 마음이 급했는데, 내 마음을 몰라주는 것 같아 속상했어요.

다음 문장을 읽고 위 내용과 맞으면 O, 틀리면 X에 체크하세요.

	O	X
· 이준이는 승우랑 키즈카페에서 만나기로 했어요.	☐	☐
· 이준이는 엘리베이터를 오랫동안 기다렸어요.	☐	☐
· 이준이는 엘리베이터 문이 열리자 바로 탔어요.	☐	☐
· 사람들이 이준이를 쳐다보았어요.	☐	☐
· 엘리베이터에 사람이 많아 계단으로 올라갔어요.	☐	☐

상황 이해 다음 질문에 적절한 답을 찾아보세요.

1. 이준이는 지금 어디에 가려고 하나요?

식당	영화관	박물관	키즈카페

2. 누구의 행동이 이상한가요?

엄마	이준	아저씨	할머니

3. 이준이는 무엇을 하려고 했나요?

엘리베이터를 만들려고 했다	엘리베이터를 타려고 했다	엘리베이터에서 내리려고 했다	엘리베이터를 올리려고 했다

4. 엘리베이터에서 내리려던 사람들은 왜 이준이를 쳐다봤나요?

이준이가 소리 질러서	이준이가 뛰어서	이준이가 먼저 타려고 해서	이준이가 귀여워서

5. 이준이의 행동을 본 사람들은 어떤 표정을 지었나요?

우는 표정	웃는 표정	신난 표정	화난 표정

어휘 체크 다음 어휘와 어울리는 문장을 찾아 선을 긋고 알맞은 형태로 써보세요.

건물 •	• 동생이 나를 ______________.
째려보다 •	• 키즈카페는 커피가게가 있는 ________ 8층에 있어요.
키즈카페 •	• 이번 주 토요일에 ______________에 가기로 했어요
냅다 •	• 저 멀리 친구가 보여서 __________ 뛰어갔어요.
뒤따라오다 •	• 화가 나서 친구를 ______________.

대화 추론 아래의 만화를 읽고 물음에 알맞은 답을 찾아보세요.

나라면 어떻게 말할지 채워보세요.

....

....

....

1. 이준이는 왜 엘리베이터 문이 열리자 바로 탔을까요?

① 키즈카페에 빨리 가고 싶어서

② 수족관에 빨리 가고 싶어서

③ 아빠를 빨리 만나고 싶어서

④ 수영장에 빨리 가고 싶어서

2. 엘리베이터에서 사람들이 모두 내리지 않았는데 먼저 타면 내리는 사람들이 어떤 반응을 보일까요?

짜증 낸다	운다
웃는다	만세를 한다

3. 엄마가 할 말로 알맞은 것을 고르세요.

① 사람들이 내려야 탈 수 있는 공간이 생기잖아. 기다렸다가 타.

② 네가 그렇게 먼저 타려고 하면 사람들이 행복해할 수 있잖니.

③ 엘리베이터를 새로 만들어서 타볼까?

④ 엘리베이터는 타는 사람이 먼저야.

4. 엘리베이터를 탈 때는 어떤 예의를 지켜야 할지 써보세요.

....

활동 더하기 아래의 상황에서 잘못된 행동을 하고 있는 친구를 찾아보세요.

생각 정리 이준이에게 어떤 말을 해줄까?

넌 참 예의가 없는 애구나!	사람들이 다 내리고 나면 타자.
사람들 내리기 전에 타면 안 돼!	그럴 거면 엘리베이터 타지마!

32 엘리베이터 안에서 크게 웃었어요

어휘 풀이

- ☐ **목욕탕**
  명사 목욕할 수 있게 만들어 놓은 곳
- ☐ **장면**
  명사 어떤 일이 일어나는 모습
- ☐ **민망하다**
  형용사 얼굴을 들고 대하기가 부끄럽다
- ☐ **재채기**
  명사 코안의 신경이 자극을 받아 갑자기 코로 숨을 내뿜는 일
- ☐ **비법**
  명사 노하우, 비결

오늘은 엄마랑 **목욕탕**에 가는 날이에요. 엘리베이터를 타고 내려가는데, 갑자기 어제 봤던 유튜브 영상이 떠올랐어요. 강아지 눈이 튀어나오고 턱이 길어지는 장면이었는데 그게 너무 웃겼거든요. 그 **장면**이 너무 웃겨서, 나도 모르게 크게 웃어버렸어요. 그랬더니 안에 있던 사람들이 모두 나를 쳐다보는 거예요. 나는 순간 너무 **민망하고** 부끄러웠어요. 그런데 말이에요, 갑자기 웃긴 생각이 떠오르면 웃음이 저절로 나와요. 마치 **재채기**처럼 참기가 정말 어려워요! 이럴 때는 어떻게 해야 웃음을 참을 수 있을까요? 혹시 웃음 참는 비법이 있다면 꼭 좀 알려 주세요.

O X

다음 문장을 읽고 위 내용과 맞으면 O, 틀리면 X에 체크하세요.

	O	X
· 지아는 언니랑 목욕탕에 가기로 했어요.	☐	☐
· 지아는 엘리베이터를 타고 올라가고 있어요.	☐	☐
· 지아는 엘리베이터에서 크게 웃었어요.	☐	☐
· 사람들이 쳐다봐서 지아는 기분이 좋았어요.	☐	☐
· 지아는 웃긴 생각이 떠오르면 눈물이 나와요.	☐	☐

상황 이해 다음 질문에 적절한 답을 찾아보세요.

1. 지아는 지금 어디 있나요?

학교	엘리베이터 안	집	도서관

2. 누구의 행동이 이상한가요?

엄마	지아	오빠	삼촌

3. 지아는 무엇을 했나요?

크게 웃었다	크게 소리 질렀다	크게 만들었다	크게 붙였다

4. 엘리베이터에서 내리려던 사람들은 왜 지아를 쳐다봤나요?

큰 소리로 방귀 뀌어서	큰 소리로 웃어서	큰 소리로 울어서	큰 소리로 노래 불러서

5. 지아의 행동을 본 사람들은 어떤 표정을 지었나요?

즐거운 표정	슬픈 표정	당황한 표정	화난 표정

어휘 체크 다음 어휘와 어울리는 문장을 찾아 선을 긋고 알맞은 형태로 써보세요.

어휘	문장
비법 •	• ____________에서 먹는 달걀이 제일 맛있어요.
재채기 •	• 친구들이 춤추는 __________을 보았어요.
민망하다 •	• 걸어가다 넘어졌는데 친구들이 쳐다보니 ________________.
장면 •	• 먼지가 많아서 계속 _____________가 나와요.
목욕탕 •	• 할머니의 요리에는 특별한 __________이 있어요.

대화 추론 아래의 만화를 읽고 물음에 알맞은 답을 찾아보세요.

나라면 어떻게 말할지 채워보세요.

....

....

....

1. 지아는 왜 엘리베이터 안에서 크게 웃었나요?

① 갑자기 슬픈 생각이 들어서

② 갑자기 무서운 생각이 들어서

③ 갑자기 웃긴 생각이 들어서

④ 갑자기 배가 아파져서

2. 사람이 많은 곳에서 큰 소리로 웃으면 사람들이 어떤 반응을 보일까요?

같이 웃는다	같이 손을 든다
불쾌해한다	귀가 커진다

3. 엄마가 할 말로 알맞은 것을 고르세요.

① 사람도 많고 작은 공간인데 시끄럽게 하면 안 되지.

② 왜 웃니? 엄마도 같이 웃자.

③ 우리 지아가 무슨 즐거운 생각이 들어서 웃으실까?

④ 네가 웃는 거 보니 엄마가 행복하다.

4. 사람이 많은 곳에서 갑자기 웃음이 터졌을 때 어떻게 하면 멈출 수 있을지 써보세요.

....

활동 더하기 아래의 상황에서 바르게 행동하고 있는 사람을 찾아보세요.

생각 정리 지아에게 어떤 말을 해줄까?

엘리베이터에서 공공예절을 지켜야 해.	혼자 있는 게 아니니 조용히 웃어야지.
우는 것도 아닌데 뭐 어때? 괜찮아!	어디서든 크게 웃으면 좋지!

33 안전띠는 답답해서 풀었어요

어휘 풀이

- □ **출근**
  명사 일터로 근무하러 나감
- □ **수족관**
  명사 물속에 사는 생물을 모아 놓고 기르는 설비
- □ **답답하다**
  형용사 갑갑하다, 따분하다
- □ **풀다**
  동사 묶인 것을 그렇지 아니한 상태로 되게 하다
- □ **위험한**
  형용사 위급하다

오늘은 엄마가 **출근**하셔서 아빠와 단둘이 있는 날이에요. 집에만 있으니 심심해서, 아빠랑 함께 **수족관**을 사러 가기로 했어요. 차를 타고 가는 길, 안전띠를 한 채 가만히 앉아 있으려니 점점 **답답했어요**. 몸도 잘 안 움직여지고, 특히 안전띠 때문에 더 답답하게 느껴졌어요. 그래서 아빠에게 "조금만 안전띠를 **풀고** 있으면 안돼요?"하고 물었어요. 그런데 아빠는 갑자기 화를 내셨어요. "그건 정말 **위험한** 행동이야! 안전띠는 절대 풀면 안 돼." 아빠는 단호한 얼굴로 말씀하셨고, 나는 조용히 앉아서 참고 갔어요. 그제야 조금 알 것 같았어요. 불편하거나 답답해도, 위험한 행동은 절대 하면 안 되는 거구나.

다음 문장을 읽고 위 내용과 맞으면 O, 틀리면 X에 체크하세요.

	O	X
· 오늘 엄마는 출근하는 날이에요.	□	□
· 아빠와 차를 타고 아쿠아리움에 가는 길이에요.	□	□
· 이준이는 안전띠가 답답하다고 느꼈어요.	□	□
· 안전띠를 풀려고 하니 아빠가 잠시 풀게 해 주셨어요.	□	□
· 결국 이준이는 안전띠를 풀지 못했어요.	□	□

상황 이해 다음 질문에 적절한 답을 찾아보세요.

1. 이준이는 지금 어디에 있나요?

주차장	차 안	백화점	차 위

2. 누구의 행동이 이상한가요?

형	이준	아빠	엄마

3. 이준이는 무엇을 하려고 했나요?

안전띠를 하려고 했다	안전띠를 자르려고 했다	안전띠를 풀려고 했다	안전띠를 잡았다

4. 아빠는 왜 이준이에게 안전띠를 풀지 말라고 했나요?

배고파서	즐거워서	위험해서	불쌍해서

5. 이준이가 안전띠를 풀려고 하자 아빠는 어떤 표정을 지었나요?

지루한 표정	속상한 표정	화난 표정	웃는 표정

어휘 체크 다음 어휘와 어울리는 문장을 찾아 선을 긋고 알맞은 형태로 써보세요.

수족관 •	• 아빠는 월요일에 ________을 해요.
풀다 •	• 어제 사 온 새 ________을 멋지게 꾸며주었어요.
위험한 •	• 작은 옷을 입었더니 ________.
출근 •	• 이모가 준 선물의 끈을 ________.
답답하다 •	• 공사장은 ________ 곳이에요.

대화 추론 아래의 만화를 읽고 물음에 알맞은 답을 찾아보세요.

나라면 어떻게 말할지 채워보세요.

....

....

....

1. 이준이는 왜 안전띠를 풀었나요?

① 안전띠가 답답해서

② 안전띠가 더워서

③ 안전띠가 딱딱해서

④ 안전띠가 부드러워서

2. 달리는 차 안에서 안전띠를 풀면 어떤 일이 생길 수 있나요?

차가 멈춘다	아빠에게 혼난다
창문이 열린다	아빠가 칭찬해 준다

3. 아빠가 할 말로 알맞은 것을 고르세요.

① 답답하면 안전띠 풀고 누워있어.

② 답답해도 참고 하고 있어야 해.

③ 잠깐만 풀었다가 다시 해.

④ 우리 같이 안전띠 풀고 갈래?

4. 차 안에서 지켜야 할 안전 규칙에는 무엇이 있을지 써 보세요.

....

활동 더하기 지도를 보고 친구들이 가야 할 장소에 어떻게 가야 하는지 설명해 보세요.

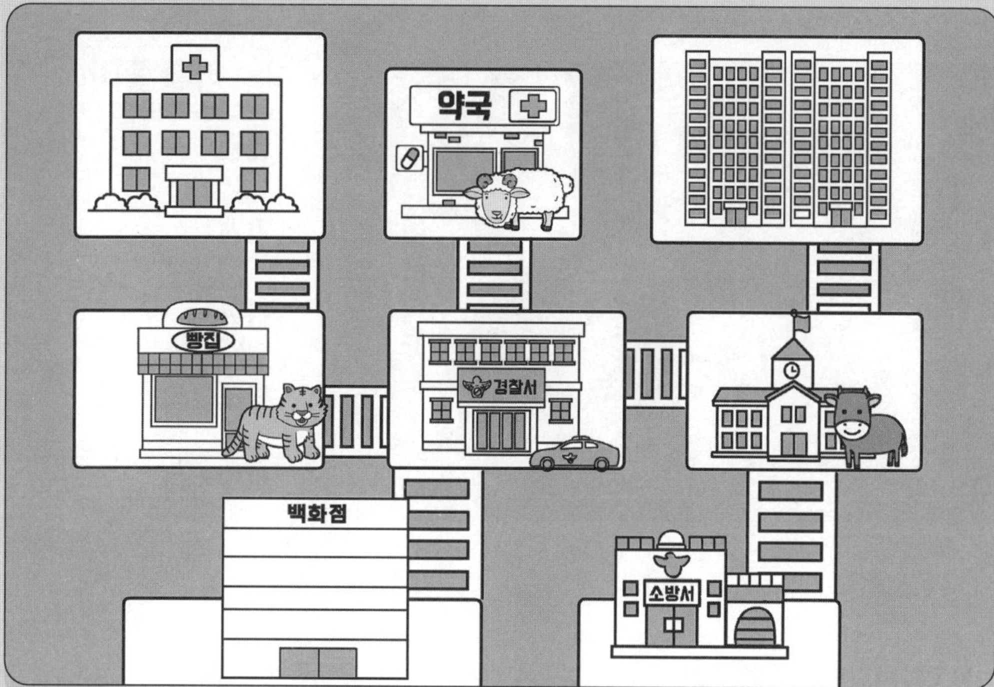

나 배가 아파서
병원에 가야 하는데,
가는 방법 좀 알려줄래?

친구 집에 초대받아서
찾아가야 하는데
ㅇㅇ아파트로 가려면
어떻게 가야 하니?

선물을 사려면
백화점에 가야 하는데
어떻게 가야 하니?

생각 정리 이준이에게 어떤 말을 해줄까?

- 안전띠는 꼭 해야 하는 거야.
- 답답할 땐 안전띠 풀어도 괜찮아.
- 사고 날 수 있으니 꼭 안전띠 매고, 있어야 해.
- 안전띠 왜 만들었는지 모르겠어.

34 앞을 보지 않고 걷다가 나무에 부딪혔어요

어휘 풀이

- ☐ **연필**
  명사 필기도구의 하나
- ☐ **가게**
  명사 작은 규모로 물건을 파는 집
- ☐ **간판**
  명사 사람들의 눈에 잘 띄이게 걸거나 붙이는 표지
- ☐ **알록달록**
  부사 얼룩덜룩
- ☐ **부딪히다**
  동사 부닥치다, 마찰하다

오늘은 엄마랑 **연필**을 사러 가는 길이에요. 그런데 걷다가 오른쪽을 보니 아이스크림 **가게 간판**에 알록달록한 아이스크림 그림들이 반짝이며 나왔다가 사라졌다가 해요. 그 모습을 보니 아이스크림을 너무 먹고 싶어졌어요. 아이스크림 가게 말고도, 빨간색, 노란색, 파란색처럼 **알록달록**한 간판들이 거리에 쭉 있었어요. 색이 바뀌는 간판들을 바라보니, 마치 놀이동산에 온 것처럼 신기하고 황홀했어요. 그런데 그만… 앞을 보지 못하고 걸어가다가 나무에 쿵! 하고 **부딪히고** 말았어요. "으악! 이마가 아파요!" 내 이마에 혹이 볼록하게 났어요.

다음 문장을 읽고 위 내용과 맞으면 O, 틀리면 X에 체크하세요.

	ⓞ	⊗
· 승우는 엄마와 연필을 사러 가는 길이에요.	☐	☐
· 승우는 길을 걷다가 마트 간판을 보고 놀랐어요.	☐	☐
· 길에는 알록달록 간판들이 많이 있어요.	☐	☐
· 간판 구경하느라 앞을 못 보고 나무에 부딪혔어요.	☐	☐
· 다행히 승우는 다치지 않았어요.	☐	☐

상황 이해 다음 질문에 적절한 답을 찾아보세요.

1. 승우가 걷고 있는 길 주변에는 무엇이 있나요?

알록달록한 간판	알록달록한 나뭇잎	알록달록한 자동차	알록달록한 사탕

2. 누구의 행동이 이상한가요?

동생	고모	승우	엄마

3. 승우는 무엇을 하며 걸어갔나요?

간판 모양을 그리면서 걸어갔다	간판만 보면서 걸어갔다	간판을 만들면서 걸어갔다	간판 개수를 세면서 걸어갔다

4. 엄마는 왜 승우에게 앞을 보며 가라고 했나요?

목 아플까 봐	부딪힐까 봐	떨어질까 봐	배고플까 봐

5. 나무에 부딪힌 승우를 본 엄마는 어떤 표정을 지었나요?

지루한 표정	놀란 표정	즐거운 표정	슬픈 표정

어휘 체크 다음 어휘와 어울리는 문장을 찾아 선을 긋고 알맞은 형태로 써보세요.

가게 •	• 문구점에 가서 ________을 사왔어요.
연필 •	• 인형뽑기 ________에 들어가서 오리 인형을 뽑았어요.
알록달록 •	• 아이스크림 가게 ________에 아이스크림이 크게 달려있어요.
부딪히다 •	• 생일파티를 하려고 풍선들을 ____________하게 붙였어요.
간판 •	• 나무에 ___________ 이마에 혹이 났어요.

대화 추론 아래의 만화를 읽고 물음에 알맞은 답을 찾아보세요.

나라면 어떻게 말할지 채워보세요.

....

....

....

1. 승우는 왜 앞을 보지 못하고 걸었을까요?

① 주변에 있는 간판들이 이상해서

② 주변에 있는 간판들이 반짝반짝해서

③ 주변에 있는 간판을 그리려고

④ 주변에 있는 간판들 사진 찍으려고

2. 앞을 보지 않고 걸으면 어떤 일이 생길 수 있나요?

이마에 혹이 난다	부딪힐 수 있다
손을 다칠 수 있다	다리가 길어진다

3. 엄마가 할 말로 알맞은 것을 고르세요.

① 앞에 나무 있어~ 조심해!

② 저게 뭐가 신기하니?

③ 눈이 나빠질 수 있으니 간판은 그만 보자.

④ 진짜 이상하다.

4. 알록달록 간판들이 많은 길을 걸을 때는 어떻게 해야 안전할지 써보세요.

....

활동 더하기 그림을 보고 위험한 행동을 하는 친구를 고르고, 왜 위험한지 이야기해 보세요.

생각 정리 승우에게 어떤 말을 해줄까?

길을 걸어갈 땐 앞을 보면서 가야 해.

너는 옆에도 눈이 달렸구나!

옆을 보면서 가지 말고 뒤를 보면서 걸어가.

옆을 보면서 걸어가면 앞을 못 봐서 넘어질 수 있어.

35 계산하지 않고 아이스크림을 먼저 먹었어요

어휘 풀이

☐ **심부름**
명사 남이 시키는 일을 하여 주는 일

☐ **마트**
명사 큰 규모의 소매점 따위를 이르는 말

☐ **뜯다**
동사 붙거나 닫힌 것을 떼거나 찢거나 하다

☐ **발견하다**
동사 알아내다, 찾아내다

☐ **잘못**
명사 그릇된 일

형이랑 함께 엄마 **심부름**을 하러 **마트**에 갔어요. 그런데 마트에 들어서자마자, 아이스크림을 너무 먹고 싶어졌어요. 형에게 "아이스크림 사자!"고 말했더니 "엄마 심부름 먼저 하고 나중에 사자"고 말했어요. 하지만 지금 당장 먹고 싶은 마음을 도저히 참을 수 없었어요. 그래서 아이스크림 코너로 혼자 가서 껍질을 **뜯고** 먹기 시작했어요. 그 순간, 나를 **발견한** 형이 깜짝 놀라 소리를 질렀어요. "그러면 안 돼! 아직 계산도 안 했잖아!" 나는 그렇게 **잘못한** 행동인지 몰랐어요. "다 먹고 나서 돈 내면 되는 거 아닌가요?"라고 말했지만, 형은 진지한 얼굴로 말했어요. "계산 전에 물건을 뜯으면 도둑질이야. 마트에서는 꼭 계산 먼저 해야 해." 그제야 나는 내가 잘못했다는 걸 알게 되었어요. 다음부터는 꼭 계산을 먼저 한 뒤에 먹기로 형이랑 약속했어요.

다음 문장을 읽고 위 내용과 맞으면 O, 틀리면 X에 체크하세요.

	ⓞ	ⓧ
· 이준이는 엄마 심부름하러 혼자 마트에 갔어요.	☐	☐
· 엄마가 아이스크림을 사 오라고 하셨어요.	☐	☐
· 이준이는 계산하기 전에 아이스크림을 뜯어 먹었어요.	☐	☐
· 형이 이준이에게 도둑이라고 했어요.	☐	☐
· 이준이는 다음부터는 꼭 계산하고 먹기로 약속했어요.	☐	☐

상황 이해 다음 질문에 적절한 답을 찾아보세요.

1. 이준이는 어디에 있나요?

화장실	마트	경찰서	집

2. 누구의 행동이 이상한가요?

이준	경찰 아저씨	선생님	형

3. 이준이는 마트에서 무엇을 했나요?

과일 만들기	계산 안 하고 먹기	계산 다 하고 먹기	우유 마시기

4. 형은 왜 이준이에게 소리를 질렀나요?

이준이가 혼자 먹어서	이준이가 계산 안 하고 먹어서	이준이가 먹는 게 맛있어 보여서	이준이가 올바른 행동을 해서

5. 이준이가 계산을 안하고 아이스크림을 먹자 형은 어떤 표정을 지었나요?

부러운 표정	즐거운 표정	놀란 표정	지루한 표정

어휘 체크 다음 어휘와 어울리는 문장을 찾아 선을 긋고 알맞은 형태로 써보세요.

마트 •	• ________에 가면 다양한 물건들이 있어요.
심부름 •	• 마트에 가서 먹고 싶었던 과자를 ____________.
잘못 •	• 아이스크림을 계산하기 전에 ____________.
발견하다 •	• 아빠의 ________으로 아이스크림을 사러 나왔어요.
뜯다 •	• 계산하기 전에 뜯는 것은 ________된 행동이에요.

대화 추론 아래의 만화를 읽고 물음에 알맞은 답을 찾아보세요.

나라면 어떻게 말할지 채워보세요.

....

....

....

1. 이준이는 왜 계산을 하지 않고 아이스크림을 먹었나요?

① 아이스크림을 빨리 먹고 싶어서

② 아이스크림을 빨리 그리려고

③ 아이스크림을 빨리 만들려고

④ 아이스크림을 빨리 던지려고

2. 계산하지 않고 아이스크림을 뜯어서 먹으면 어떤 일이 생길 수 있나요?

도둑이 된다	배가 아파진다
칭찬받는다	병원에 가야 한다

3. 형이 할 말로 알맞은 것을 고르세요.

① 조금만 기다려! 엄마 심부름 다 하고 골라보자.

② 엄마 심부름하지 말고, 아이스크림 사 먹고 가자.

③ 지금 사자고? 너 정말 좋은 생각을 했구나!

④ 엄마랑 아빠 아이스크림도 사자.

4. 다음에 마트에 가면 어떤 순서로 행동해야 할지 써보세요.

....

활동 더하기 4개의 그림에 순서대로 번호를 쓰고, 어떻게 계산하고 먹는지 말해 보세요.

생각 정리 이준이에게 어떤 말을 해줄까?

- 계산 안 하고 먹으면 도둑이야!
- 계산 안 하고 먹으면 어때!
  다 먹고 돈 내면 되지! ~
- 꼭 계산을 먼저 하고, 먹어야 해.
- 구석으로 가서 몰래 먹으면 아무도
  몰라!

36 음악 시간에 노랫소리가 시끄럽다고 귀를 막고 소리를 질렀어요

어휘 풀이

- □ **음악**
  명사 목소리나 악기를 통하여 사상 또는 감정을 나타내는 예술
- □ **피아노**
  명사 손가락으로 건반을 눌러서 소리를 내는 악기
- □ **감미롭다**
  형용사 달콤한 느낌이 있다
- □ **시끄럽다**
  형용사 듣기 싫게 떠들썩하다
- □ **노래**
  명사 소리 내어 부르는 것

내가 제일 좋아하는 시간은 바로 **음악** 시간이에요. 지난 시간에 배운 노래는 부모님께 감사한 마음을 담아 부르는 노래였어요. 선생님의 **피아노** 반주 소리는 정말 **감미로웠고**, 나는 조용히 귀를 기울였어요. 그런데 친구들이 함께 노래를 부르기 시작하자 갑자기 너무 **시끄럽게** 느껴졌어요. 나는 깜짝 놀라 "으악!" 하고 소리를 질러버렸어요. 선생님께서 놀라시며 "왜 그렇게 소리를 질렀니?" 하고 이유를 물어보셨어요. 나는 조용히 "친구들 목소리가 너무 시끄러워서요…"라고 말했어요. 그러자 선생님은 웃으시며 말씀하셨어요. "음악 시간엔 함께 **노래**하는 거란다. 너도 신나게 같이 불러보자" 그래서 나도 용기 내어 노래를 부르기 시작했어요. 내가 함께 노래를 부르니 친구들 노랫소리가 시끄럽게 느껴지지 않았고 더 즐겁고 재미있었어요.

다음 문장을 읽고 위 내용과 맞으면 O, 틀리면 X에 체크하세요.

	ⓞ	ⓧ
· 지아는 선생님의 피아노 반주를 조용히 들었어요.	□	□
· 지아는 처음부터 친구들과 신나게 노래를 불렀어요.	□	□
· 지아는 친구들 소리가 너무 커서 소리를 질렀어요.	□	□
· 선생님은 지아에게 조용히 하라고 혼을 내셨어요.	□	□
· 선생님께서 노래를 함께 듣자고 하셨어요.	□	□

상황 이해 다음 질문에 적절한 답을 찾아보세요.

1. 지아는 어디에 있나요?

과학실	보건실	음악실	운동장

2. 누구의 행동이 이상한가요?

친구	선생님	엄마	지아

3. 지아는 친구들이 노래하자 어떤 생각을 했나요?

감미롭다고 생각했다	시끄럽다고 생각했다	대단하다고 생각했다	이상하다고 생각했다

4. 선생님은 지아에게 어떻게 하라고 했나요?

지아도 같이 놀라고 했어요	지아도 같이 노래 부르라고 했어요	지아도 같이 먹으라고 했어요	지아도 같이 뛰라고 했어요

5. 음악시간에 지아의 행동을 본 친구들은 어떤 마음이 들었을까요?

즐거운 마음	행복한 마음	기대되는 마음	불편한 마음

어휘 체크 다음 어휘와 어울리는 문장을 찾아 선을 긋고 알맞은 형태로 써보세요.

음악 •	• 형이 불러주는 자장가는 ______________.
피아노 •	• ________ 시간에 멜로디언 연주를 했어요.
감미롭다 •	• 아빠가 불러주는 자장가는 ______________.
시끄럽다 •	• 7살부터 __________ 학원에 다녔어요.
노래 •	• 우리 가족은 _________를 잘 불러요.

대화 추론 아래의 만화를 읽고 물음에 알맞은 답을 찾아보세요.

나라면 어떻게 말할지 채워보세요.

....

....

....

1. 지아는 왜 음악 시간에 소리를 질렀을까요?

① 친구들의 기합 소리가 시끄러워서

② 친구들의 웃음소리가 시끄러워서

③ 친구들의 말소리가 시끄러워서

④ 친구들의 노랫소리가 시끄러워서

2. 음악 시간인데 친구들의 노랫소리가 시끄럽다고 소리 지르면 친구들이 어떤 반응을 보일까요?

밖으로 나간다	깜짝 놀란다
맛있게 먹는다	즐거워한다

3. 선생님이 할 말로 알맞은 것을 고르세요.

① 지아는 친구들 노래에 맞춰 춤춰보자.

② 지아도 함께 노래하자.

③ 지아는 밖에 나가 있어.

④ 지아는 밥을 먹어.

4. 음악 시간에 모두가 즐겁게 참여하는 방법에는 어떤 것들이 있을지 써보세요.

....

활동 더하기 아래 상황을 보고 친구들에게 어떤 말을 해야 할지 말풍선 안에 써 보세요.

생각 정리 지아에게 어떤 말을 해줄까?

음악 시간에 노래하는 건 잘못하는 게 아니잖아. 같이 노래하자.	음악 시간이니까 화장실 다녀오자.
시끄럽다고 갑자기 소리를 지르면 듣기 불편해 말로 해줘.	음악 시간이니까 공 던져보자.

37 게임에서 져서 게임판을 던졌어요

어휘 풀이

- ☐ **보드게임**
  명사 종이나 나무판으로 된 놀이 도구 주변에 여럿이 둘러앉아 즐기는 놀이
- ☐ **익숙하다**
  형용사 노련하다
- ☐ **위로**
  명사 따뜻한 말과 행동으로 슬픔을 달래 줌
- ☐ **약오르다**
  자동사 비위가 상하여 은근히 화가 나다
- ☐ **화**
  명사 노여움

오늘은 친구네 집에 놀러 가서 **보드게임**을 했어요. 친구는 "이거 아빠랑 자주 해서 **익숙해**"라고 말했지만, 나는 처음 해보는 게임이라 좀 낯설고 어렵게 느껴졌어요. 게임을 하다가 벌써 세 번이나 지니까 속상하고 짜증이 나기 시작했어요. 친구는 "이길 때도 있고 질 때도 있는 거야"라며 나를 **위로**해 줬지만, 그 말이 왠지 모르게 더 **약이 오르게** 들렸어요. 결국 **화**를 참지 못하고 보드게임을 던져버렸어요. 친구는 깜짝 놀라 당황한 표정으로 나를 바라봤고, 그 모습을 보니 갑자기 마음이 미안해졌어요.

다음 문장을 읽고 위 내용과 맞으면 O, 틀리면 X에 체크하세요.

	ⓞ	⊗
· 승우는 친구네 집에 놀러 가서 보드게임을 했어요.	☐	☐
· 승우는 아빠와 자주 해본 게임을 했어요.	☐	☐
· 승우는 게임에서 계속 이겼어요.	☐	☐
· 친구가 게임을 못 한다고 놀려서 보드게임을 던졌어요.	☐	☐
· 승우는 친구에게 미안했어요.	☐	☐

상황 이해 다음 질문에 적절한 답을 찾아보세요.

1. 승우는 무엇을 하고 있나요?

보드게임하기	노래 부르기	스노보드 타기	밥 먹기

2. 누구의 행동이 이상한가요?

아빠	승우	친구	친구의 엄마

3. 승우가 계속 게임에서 지자 친구가 뭐라고 했나요?

게임 진짜 못한다	이길 때도 있고 질 때도 있어	게임 연습 좀 해라	내가 이겨서 약 오르지?

4. 게임에서 계속 지자 승우는 어떻게 했나요?

친구에게 방법을 가르쳐 달라고 했다	친구에게 화를 내고 보드게임을 던졌다	보드게임을 다시 만들었다	화가 나서 친구랑 달콤한 초콜릿을 먹었다

5. 보드게임에서 계속 지자 승우는 어떤 표정을 지었나요?

기대되는 표정	화난 표정	즐거운 표정	행복한 표정

어휘 체크 다음 어휘와 어울리는 문장을 찾아 선을 긋고 알맞은 형태로 써보세요.

보드게임 •	• 우리 집에는 ____________이 많이 있어요.
익숙하다 •	• 친구가 나보다 더 큰 아이스크림을 가져가서 ____________.
위로 •	• 엄마는 동생이 말썽을 부려서 ________가 나셨어요.
약오르다 •	• 엄마에게 혼나서 속상했는데 형이 __________해 주었어요.
화 •	• 아빠는 운전을 많이 하셔서 _________ 했어요.

대화 추론 아래의 만화를 읽고 물음에 알맞은 답을 찾아보세요.

나라면 어떻게 말할지 채워보세요.

....

....

....

1. 승우는 왜 게임을 던졌을까요?

① 친구가 계속 게임을 하자고 해서

② 친구가 계속 게임을 만들어와서

③ 친구가 계속 이겨서

④ 친구가 계속 져서

2. 게임을 하다가 자꾸 지면 어떤 기분이 드나요?

화가 난다	즐겁다
행복하다	피곤하다

3. 친구가 할 말로 알맞은 것을 고르세요.

① 승우야 어떻게 넌 맨날 이길 생각만 하니?

② 승우야 이길 때도 있고 질 때도 있잖아~
즐겁게 해보자.

③ 내가 계속 이겨서 약 오르지? 메롱~!

④ 너 진짜 보드게임 못 한다.
너랑 앞으론 보드게임 못 하겠다.

4. 게임에서 지는 것이 속상할 때는 어떻게 하면 좋을지 써보세요.

....

활동 더하기 **게임에서 자꾸 지고 있는 상황이에요.**
바르게 말한 친구를 찾아 ○ 하고 이유를 말해 보세요.

생각 정리 **승우에게 어떤 말을 해줄까?**

게임에서 지는 건 속상하겠지만
나한테 화를 내면 난 당황스러워.

게임에서 졌다고 게임을 던지는 건
안 돼!

내가 계속 이겨서 약 오르지? 메롱! ~

너 연습 좀 많이 해야겠다. 너무 못한다!

38 친구의 티셔츠를 갑자기 만졌어요

어휘 풀이

- ☐ **눈에 띄다** 구어체 두드러지게 드러나다
- ☐ **예쁘다** 형용사 곱다
- ☐ **몸** 명사 머리부터 발까지 모두
- ☐ **함부로** 부사 마음 내키는 대로 마구
- ☐ **사과하다** 동사 잘못을 인정하고 용서를 빌다

저 멀리서 친구가 걸어오고 있었어요. 그런데 친구 티셔츠에 있는 반짝반짝 빛나는 꽃 그림이 **눈에 띄었어요**. 정말 **예뻤어요**. 나도 저런 멋진 옷을 입고 싶었어요. 그런데 내 티셔츠는 그냥 그림만 그려져 있고, 반짝이지 않아서 살짝 아쉬웠어요. 친구의 티셔츠가 너무 예뻐서, 나도 모르게 손으로 꽃 그림을 만졌어요. 그 순간, 친구가 깜짝 놀라며 말했어요. "왜 내 **몸**을 **함부로** 만져? 만지지 마!" 나는 그제야 깨달았어요. 티셔츠를 만지는 것도 친구는 자신의 몸을 만지는 것처럼 느낄 수 있다는 것을요. 아무리 친구 옷이 예뻐도 허락 없이 손으로 만지면 안되는 행동이었어요. 정말 미안한 마음이 들어서 친구에게 진심으로 **사과했어요**. 다음부터는 꼭 눈으로만 보기로 다짐했어요.

다음 문장을 읽고 위 내용과 맞으면 O, 틀리면 X에 체크하세요.

	ⓞ	ⓧ
· 친구의 옷에 공룡 그림이 있었어요.	☐	☐
· 예나 옷에는 그림이 없어요.	☐	☐
· 예나는 친구의 옷을 만져 보았어요.	☐	☐
· 친구는 예나에게 머리를 만지지 말라고 했어요.	☐	☐
· 예나는 친구에게 미안했어요.	☐	☐

상황 이해 다음 질문에 적절한 답을 찾아보세요.

1. 무엇이 예나의 눈에 띄었나요?

친구 티셔츠에 있는 그림	친구 바지에 있는 그림	친구 신발에 있는 그림	친구 머리띠에 있는 그림

2. 누구의 행동이 이상한가요?

언니	예나	엄마	친구

3. 예나가 친구에게 어떤 행동을 했나요?

친구의 눈을 만졌다	친구의 발을 만졌다	친구의 옷을 만졌다	친구에게 손을 흔들었다

4. 예나가 옷을 만지자 친구가 어떻게 했나요?

울었다	웃었다	깜짝 놀랐다	쓰러졌다

5. 친구의 티셔츠를 본 예나는 어떤 표정을 지었나요?

화나는 표정	부러운 표정	슬픈 표정	무서운 표정

어휘 체크 다음 어휘와 어울리는 문장을 찾아 선을 긋고 알맞은 형태로 써보세요.

예쁘다 •	• 할머니 댁 파란 대문이 ____________.
함부로 •	• 친구의 장난감을 망가뜨려서 ____________.
눈에띄다 •	• 목욕탕에서 온 ________을 깨끗하게 닦았어요.
몸 •	• 다른 사람의 물건을 ________ 만지면 안돼요.
사과하다 •	• 언니가 입은 치마가 ________.

대화 추론 아래의 만화를 읽고 물음에 알맞은 답을 찾아보세요.

나라면 어떻게 말할지 채워보세요.

....

....

....

1. 예나가 친구의 티셔츠에 있는 그림을 만졌을 때 친구가 왜 소리쳤을까요?

① 신발을 만지는 기분이 들어서

② 머리카락을 만지는 기분이 들어서

③ 몸을 만지는 기분이 들어서

④ 꽃을 만지는 기분이 들어서

2. 친구가 입고 있는 티셔츠가 예쁘다고 갑자기 만지면 친구는 어떤 반응을 보일까요?

같이 만진다	몸이 뜨거워진다
즐거워한다	기분 나빠한다

3. 예나가 할 말로 알맞은 것을 고르세요.

① 미안해! 그림이 너무 예뻐서 나도 모르게 만졌어.

② 야! 그림이 예쁘면 만져 볼 수도 있지!

③ 그럼, 너도 나 만지면 되잖아~

④ 아우 시끄러워 그렇다고 소리를 지르냐!

4. 예쁜 옷이나 물건을 만지고 싶을 땐 어떻게 해야 할지 써보세요.

....

활동 더하기 내가 예나라면 어떤 말을 하면 좋을지 찾아보고 그 이유도 말해 보세요.

생각 정리 예나에게 어떤 말을 해줄까?

- 아무리 예뻐도 친구 몸을 만지면 안돼.
- 예쁜 그림이니까 만져볼 수도 있지~
- 상대방의 몸을 함부로 만지면 안돼.
- 친구 몸도 내 몸이랑 똑같아. 만져도 돼!

39 준비운동도 안 하고 물에 뛰어 들어갔어요

어휘 풀이

□ **헤엄치다**
동사 수영하다

□ **준비운동**
명사 몸을 풀기 위하여 하는 가벼운 운동

□ **노리다**
동사 무엇을 이루려고 모든 마음을 쏟아서 눈여겨보다

□ **붙잡히다**
동사 걸리다

□ **안전사고**
명사 부주의 따위로 일어나는 사고

수영 수업은 정말 재미있어요. 물속에서 **헤엄치면** 내가 마치 물고기가 된 것 같은 기분이 들어요. 하지만 수업을 시작하기 전에는 반드시 **준비운동**을 해야 해요. 빨리 물에 들어가고 싶은 마음에 준비운동 시간이 너무 길게 느껴졌어요. 그래서 몰래 기회를 **노리다가**, 선생님이 다른 친구들을 보고 있는 틈을 타서 물을 향해 뛰어갔어요. 그런데! 다른 선생님께 금방 **붙잡히고** 말았어요. 선생님은 "준비운동을 하지 않으면 몸이 놀라서 **안전사고**가 날 수 있어. 꼭 지켜야 해."라고 말씀하셨어요. 나는 물에 빨리 들어가고 싶은 마음을 참기 어려웠지만, 다음부터는 안전을 위해 꼭 준비운동을 끝내고 들어가기로 약속했어요.

다음 문장을 읽고 위 내용과 맞으면 O, 틀리면 X에 체크하세요.

	ⓞ	ⓧ
· 시우는 수영을 좋아해요.	□	□
· 수업 시작하기 전에 준비운동을 해요.	□	□
· 선생님은 준비운동을 하지 않아도 된다고 하셨어요.	□	□
· 시우는 준비운동을 대충 하고 뛰어 들어가려 했어요.	□	□
· 시우는 준비운동을 꼭 하기로 약속했어요.	□	□

상황 이해 다음 질문에 적절한 답을 찾아보세요.

1. 이곳은 어디인가요?

해수욕장	수영장	놀이터	놀이동산

2. 누구의 행동이 이상한가요?

선생님	아저씨	시우	동생

3. 시우는 어떻게 행동했나요?

물속에 들어가려고 했다	물을 마시려고 했다	물을 만들려고 했다	물로 씻으려고 했다.

4. 선생님은 무엇을 하고 물속에 들어가라고 했나요?

머리 빗기	밥 먹기	준비운동	발차기 연습기

5. 시우가 준비운동 없이 수영장에 들어가려 하자 선생님은 어떤 표정을 지었나요?

슬픈 표정	놀란 표정	즐거운 표정	무서운 표정

어휘 체크 다음 어휘와 어울리는 문장을 찾아 선을 긋고 알맞은 형태로 써보세요.

준비운동 •	• 해수욕장에서는 ______________에 주의해야 해요.
노리다 •	• 친구가 나를 ________ 보았어요.
붙잡힌다 •	• 물 속에 들어가기 전에는 ______________을 해야 해요.
헤엄친다 •	• 물고기가 __________ 때 살랑거리는 꼬리가 신기해요.
안전사고 •	• 도망가다 선생님께 ______________.

대화 추론 아래의 만화를 읽고 물음에 알맞은 답을 찾아보세요.

나라면 어떻게 말할지 채워보세요.

....

....

....

1. 시우는 왜 준비운동을 하지 않고 물속으로 들어가려고 했나요?

① 빨리 먹고 싶어서

② 빨리 수영하고 싶어서

③ 빨리 만들고 싶어서

④ 빨리 수영복을 입고 싶어서

2. 준비운동을 하지 않고 물속에 들어가면 몸이 어떻게 될까요?

작아진다	커진다
놀란다	편안해진다

3. 선생님이 할 말로 알맞은 것을 고르세요.

① 준비운동 안 하고 들어가면 몸이 놀랄 수 있으니 꼭 준비운동하고 들어가자.

② 그럼, 시우 먼저 물속에 들어가 있을래?

③ 넌 왜 이렇게 떼를 쓰니? 친구들 좀 보고 배워라.

④ 선생님은 약속 안 지키는 시우가 미워!

4. 준비운동을 하는 방법에는 어떤 것들이 있을지 써보세요.

....

활동 더하기 두 그림을 비교하여 무엇이 다른지 이야기해 보세요.

생각 정리 시우에게 어떤 말을 해줄까?

- 우리 준비운동하고 들어가자.
- 준비운동 안 하면 좀 어때!
- 준비운동을 해야 몸이 놀라지 않아.
- 준비운동 대충만 해.

40 수영복은 답답해서 입기 싫어요

어휘 풀이

- ☐ **수영복** 명사 수영할 때에 입는 옷
- ☐ **답답하다** 형용사 숨쉬기가 어렵다
- ☐ **입장하다** 동사 들어가다
- ☐ **입다** 동사 걸치다
- ☐ **느낌** 명사 몸의 감각이나 마음으로 아는 기운이나 감정

수영장에 가는 날은 아침에 눈을 뜨자마자 기분이 좋아져요. 그런데 **수영복**은 몸에 꼭 끼어서 조금 **답답해요**. 입을 때마다 "으악, 너무 꽉 껴!" 하는 말이 절로 나와요. 그렇지만 수영복을 입지 않으면 수영장에 **입장**할 수 없대요. 왜 꼭 수영복을 입어야만 수영장에 들어갈 수 있는 걸까요? 편한 옷 입고 들어가면 안 될까? 그런 생각도 들어요. 그렇지만 수영이 너무 재미있고, 수영장에 꼭 들어가고 싶어서 답답한 수영복을 꾹 참고 **입었어요**. 그런데 신기하게도, 물속에서 헤엄치다 보니 처음에 **느꼈던** 답답한 느낌이 점점 사라졌어요. 오히려 몸에 잘 붙어서 더 편하게 움직일 수 있었어요!

다음 문장을 읽고 위 내용과 맞으면 O, 틀리면 X에 체크하세요.

	ⓞ	ⓧ
• 예나는 수영장에 가기 싫어요.	☐	☐
• 예나는 수영복이 끼어서 답답하게 느껴져요.	☐	☐
• 수영복을 입지 않으면 수영장에 못 들어가요.	☐	☐
• 결국 예나는 수영복을 입었어요.	☐	☐
• 예나는 답답한 느낌이 사라지지 않았어요.	☐	☐

상황 이해 다음 질문에 적절한 답을 찾아보세요.

1. 예나는 무엇을 입으려고 하나요?

티셔츠	치마	수영복	바지

2. 누구의 행동이 이상한가요?

예나	선생님	수영선생님	승우

3. 예나는 무엇을 하지 않으려고 했나요?

수영 모자를 안 쓰려고 했다	물안경을 안 쓰려고 했다	수영복을 안 입으려고 했다	수영장에 안 들어가려고 했다

4. 예나는 수영복을 입을 때마다 어떤 말을 했나요?

으악! 배고파	으악! 너무 졸려	으악! 너무 꽉 껴	으악! 속상해

5. 엄마가 수영복을 입자고 하자 예나는 어떤 표정을 지었나요?

싫어하는 표정	좋아하는 표정	즐거운 표정	행복한 표정

어휘 체크 다음 어휘와 어울리는 문장을 찾아 선을 긋고 알맞은 형태로 써보세요.

답답하다 •	• 꽉 끼는 옷을 입으니 ____________.
입다 •	• 수영복을 입으니 꽉 끼는 ________이 들었어요.
느낌 •	• 수영을 할 때는 수영복을 ____________ 해요.
입장하다 •	• 입장료를 내고 동물원에 ____________.
수영복 •	• 다음 주부터 강습하기로 해서 _________을 샀어요.

대화 추론　아래의 만화를 읽고 물음에 알맞은 답을 찾아보세요.

나라면 어떻게 말할지 채워보세요.

....

....

....

1. 예나는 왜 수영복을 입지 않겠다고 했나요?

① 수영복이 작아서

② 수영복을 입으면 부끄러워서

③ 수영복을 입으면 답답해서

④ 수영복이 안 예뻐서

2. 수영복을 입지 않고 수영장에 들어가면 어떻게 될까요?

들어갈 수 없다	구경만 할 수 있다
손뼉을 쳐준다	물에 빠진다

3. 엄마가 할 말로 알맞은 것을 고르세요.

① 그래서 어쩌라고?

② 수영복을 안 입으면 수영 못해.

③ 그럼, 그냥 속옷만 입고 들어가.

④ 너 다시는 수영장 오자는 말하지 마!

4. 수영복이 답답하게 느껴질 때 편하게 입을 수 있는 방법에는 어떤 것이 있을지 써보세요.

....

활동 더하기 수영장에 갈 때 필요한 물건을 골라 가방에 붙여보세요.

생각 정리 예나에게 어떤 말을 해줄까?

수영복이 끼어서 답답하지만,
물속에 들어가면 답답한 느낌 안 날거야.

수영복도 안 입을 거면서
왜 수영장에 왔니?

수영장에 들어가려면 수영복은 필수야.

반팔, 반바지 입고 수영해도 돼.

41 달리는 차 창밖으로 머리와 손을 내밀었어요

어휘 풀이

- □ **미세먼지** 명사 입자가 아주 작은 먼지
- □ **뿌옇다** 형용사 선명하지 못하고 좀 허옇다
- □ **깨끗하다** 형용사 깔끔하다
- □ **날씨** 명사 기후, 기상
- □ **취하다** 동사 어떤 것에 마음을 빼앗기다

바람이 솔솔 불고 햇살이 따스한 날, 가족들과 함께 차를 타고 나들이를 가는 중이에요. 요즘은 **미세먼지** 때문에 하늘이 **뿌옇고** 답답한 날이 많았는데, 오늘은 미세먼지도 없고, 맑고 파란 하늘을 올려다 보니 내 마음까지 **깨끗해지는** 느낌이 들었어요. 이 맑은 **날씨**에 **취한** 나머지, 창문을 열고 머리와 손을 밖으로 내밀었어요. 그 순간, 아빠가 깜짝 놀라 소리치셨어요. "창문 밖으로 몸을 내밀면 정말 위험해! 절대 그러면 안 돼!" 앞으론 기분이 아무리 좋아도, 무엇보다 안전을 먼저 생각해야겠어요.

다음 문장을 읽고 위 내용과 맞으면 O, 틀리면 X에 체크하세요.

	ⓞ	⊗
· 지아네 가족은 차를 타고 영화 보러 가는 중이에요.	□	□
· 오늘은 미세먼지로 하늘이 뿌예요.	□	□
· 지아는 창문을 열고 손을 내밀었어요.	□	□
· 아빠는 지아에게 위험하다고 소리치셨어요.	□	□
· 지아는 안전을 생각하겠다고 다짐했어요.	□	□

상황 이해 다음 질문에 적절한 답을 찾아보세요.

1. 지아네 가족은 무엇을 하고 있나요?

자전거 타기	차 타고 나들이	기차 타고 여행	비행기 타고 여행

2. 누구의 행동이 이상한가요?

승우	지아	동생	아빠

3. 지아는 어떤 행동을 했나요?

창문을 닦았다	창문 밖으로 머리와 손을 내밀었다	창문을 닫았다	창문을 깼다

4. 아빠는 지아에게 어떻게 했나요?

칭찬했다	소리쳤다	안아주었다	밀었다

5. 차를 타고 나들이를 가고 있는 지아는 어떤 표정을 지었나요?

설레는 표정	슬픈 표정	화난 표정	속상한 표정

어휘 체크 다음 어휘와 어울리는 문장을 찾아 선을 긋고 알맞은 형태로 써보세요.

어휘	문장
미세먼지 •	• 창문에 먼지가 쌓여서 ____________.
뿌옇다 •	• ______________가 많은 날에는 마스크를 써야 해요
날씨 •	• 방을 청소하니 ______________.
취하다 •	• 여름에는 __________가 더워요.
깨끗하다 •	• 아빠가 회식하고 ____________ 들어오셨어요.

대화 추론 아래의 만화를 읽고 물음에 알맞은 답을 찾아보세요.

나라면 어떻게 말할지 채워보세요.

....

....

....

1. 지아는 왜 창문 밖으로 머리와 손을 내밀었나요?

① 창밖에 날씨가 추워서

② 창밖에 날씨가 시원해서

③ 창밖에 비가 내려서

④ 창밖에 눈이 내려서

2. 달리는 차에서 창문 밖으로 머리와 손을 내밀면 머리와 손이 어떻게 될까요?

작아질 수 있다	다칠 수 있다
차가워질 수 있다	커질 수 있다

3. 아빠가 할 말로 알맞은 것을 고르세요.

① 위험한 행동이야! 절대 창문 밖으로 내밀지 마!

② 그래, 시원하다면 계속 내밀어야지~

③ 날씨가 좋으니 창문을 활짝 열고 다 함께 손을 내밀어 볼까?

④ 너는 어쩜 생각이 짧니?

4. 차 안에서 안전하게 즐기는 방법에는 어떤 것이 있는지 써보세요.

....

활동 더하기 달리는 차 안에서 잘못한 친구에게 X 하고, 어떻게 해야 하는지 말해 보세요.

생각 정리 지아에게 어떤 말을 해줄까?

- 창문 밖으로 손을 내밀면 위험해!
- 창문을 열고 소리를 질러봐!
- 차가 달릴 땐 문을 여는 거야!
- 창문을 닫고 밖을 구경해.

42 늦은 밤에 악기를 연주했어요

어휘 풀이

- ☐ **바이올린**
  명사 서양 현악기의 하나
- ☐ **연주**
  명사 악기를 다루어 곡을 표현하거나 들려주는 일
- ☐ **방해**
  명사 남의 일을 간섭하여 해를 끼침
- ☐ **자제하다**
  동사 삼가다
- ☐ **배려**
  명사 도와주거나 보살펴 주려고 마음을 씀

오늘은 방과 후 수업에서 **바이올린**을 배웠어요. 손가락을 움직일 때마다 달라지는 소리가 너무 재미있었어요. 수업이 끝난 뒤에도 계속 생각나서, 저녁을 먹고 쉬는 동안 바이올린을 꺼내 **연주**해 보았어요. 그런데 그때 아빠가 조용히 말씀하셨어요. "지금은 저녁 시간이고 다들 쉬는 시간이니까, 큰 소리는 다른 사람에게 **방해**가 될 수 있어." 그 말을 듣자 문득 떠오르는 방송 소리가 있었어요. "늦은 시간에는 악기 소리를 **자제해** 주세요. 이웃을 **배려**하는 마음이 필요합니다." 앞으로는 늦은 시간에는 연주를 자제하고, 모두를 배려하는 연주자가 되어야겠다고 다짐했어요.

다음 문장을 읽고 위 내용과 맞으면 O, 틀리면 X에 체크하세요.

	Ⓞ	⊗
• 이준이는 방과 후 수업에서 바이올린을 배워요.	☐	☐
• 이준이는 저녁도 먹지 않고 연주했어요.	☐	☐
• 이준이가 연주하자 악기 소리를 자제하라는 안내가 나왔어요.	☐	☐
• 아빠가 저녁 시간에는 큰 소리는 방해된다고 하셨어요.	☐	☐
• 이준이는 늦은 시간에 연주하는 것을 자제하기로 했어요.	☐	☐

상황 이해 다음 질문에 적절한 답을 찾아보세요.

1. 이준이는 무엇을 하고 있나요?

피아노 연주	바이올린 연주	노래 부르기	게임

2. 누구의 행동이 이상한가요?

할아버지	이준	할머니	아빠

3. 지금은 몇 시인가요?

아침 시간	저녁 시간	점심시간	새벽 시간

4. 아빠는 왜 이준이에게 연주하지 말라고 했나요?

방해돼서	배고파서	사랑해서	슬퍼서

5. 늦은 시간에 이준이가 바이올린을 연주했을 때 아빠는 어떤 마음이 들었을까요?

놀란 마음	속상한 마음	신나는 마음	슬픈 마음

어휘 체크 다음 어휘와 어울리는 문장을 찾아 선을 긋고 알맞은 형태로 써보세요.

연주 •	• 언니가 피아노 ________를 해주었어요.
방해 •	• 선생님이 ________해 주셔서 감사한 마음이 들었어요.
배려 •	• 공부하는데 동생이 자꾸 ________ 해요.
바이올린 •	• 소리 지르는 것을 ________ 달라고 했어요.
자제하다 •	• 방과 후에 ________ 수업을 가기로 했어요.

대화 추론 아래의 만화를 읽고 물음에 알맞은 답을 찾아보세요.

나라면 어떻게 말할지 채워보세요.

....

....

....

1. 이준이는 왜 늦은 시간에 악기연주를 했나요?

① 학교에서 배운 바이올린 소리가 시끄러워서

② 학교에서 배운 바이올린이 재미있어서

③ 늦은 시간이 되니 배가 고파서

④ 늦은 시간이 되니 몸이 간지러워서

2. 저녁 시간에 악기를 연주하면 이웃들이 어떤 반응을 보일까요?

같이 연주한다	고통받는다
잠을 잘 잔다	손뼉을 쳐준다

3. 아빠가 할 말로 알맞은 것을 고르세요.

① 이웃들이 너무 시끄러워하잖아. 방해되는 행동이야.

② 이웃들이 바이올린 연주 소리를 너무 좋아할 거 같아.

③ 바이올린은 너무 멋있어서 그래.

④ 바이올린보다 피아노 연주를 해야지.

4. 악기를 연주할 때 다른 사람에게 피해를 주지 않으려면 어떻게 해야 할지 써보세요.

....

활동 더하기 낮에 할 일, 밤에 할 일을 나누어 붙여보세요.

생각 정리 이준이에게 어떤 말을 해줄까?

- 바이올린 연주는 낮에 해야지.
- 바이올린 연주는 저녁에 하면 안돼!
- 바이올린 연주는 아무 때나 해도 돼.
- 저녁이라 바이올린 연주 말고 피아노 연주를 하자.

43 영화관에서 갑자기 일어나서 만세를 외쳤어요

어휘 풀이

- ☐ **영화** (명사) 영사기로 영사막에 재현하는 종합 예술
- ☐ **공격** (명사) 나아가 적을 침
- ☐ **주인공** (명사) 사건의 중심이 되는 인물
- ☐ **만세** (명사) 두 손을 높이 들면서 외치는 말에 따라 행하는 동작
- ☐ **깜빡하다** (동사) 까먹다

오늘은 엄마와 함께 **영화**를 보러 갔어요. 주인공이 적의 **공격**을 받는 장면에서는 가슴이 두근두근, 너무 긴장됐어요. 그런데 드디어! **주인공**이 용기 있게 맞서 싸워 적을 물리치고 "**만세**!"를 외치는 장면이 나왔어요. 너무 기뻐서 저도 모르게 자리에서 벌떡 일어나 "만세!"를 외쳤어요. 그 순간, 뒤에 앉아 있던 분들이 "자리에 앉아 주세요!"라며 소리쳤어요. 영화관 안에는 다른 사람들도 많다는 걸 **깜빡했던** 거예요. 기쁜 마음에 주변을 배려하지 못한 제 행동이 부끄러웠어요. 조용히 죄송하다고 사과하고, 얼른 자리에 앉았어요.

다음 문장을 읽고 위 내용과 맞으면 O, 틀리면 X에 체크하세요.

	O	X
· 시우는 엄마와 영화관에 갔어요.	☐	☐
· 시우는 영화관에서 만세를 외쳤어요.	☐	☐
· 엄마는 시우에게 자리에 앉으라고 말했어요.	☐	☐
· 영화관에는 다른 사람들도 있었어요.	☐	☐
· 시우는 부끄러워서 얼른 밖으로 나왔어요.	☐	☐

상황 이해 다음 질문에 적절한 답을 찾아보세요.

1. 이곳은 어디인가요?

화장실	영화관	교실	피아노 학원

2. 누구의 행동이 이상한가요?

시우	엄마	예나	이모

3. 시우가 무엇을 했나요?

일어나서 만세 했다	일어나서 뛰었다	일어나서 춤췄다	일어나서 화를 냈다

4. 시우가 일어나자, 사람들이 뭐라고 했나요?

같이 일어났다	앉으라고 했다	울라고 했다	나가라고 했다

5. 시우의 행동을 본 사람들은 어떤 표정을 지었나요?

행복한 표정	기쁜 표정	짜증 나는 표정	슬픈 표정

어휘 체크 다음 어휘와 어울리는 문장을 찾아 선을 긋고 알맞은 형태로 써보세요.

만세 •	• 형과 힘을 합쳐 아빠를 ________하기로 했어요.
영화 •	• 친구들과 함께 ________를 했어요.
깜빡하다 •	• ____________ 학교에 우산을 두고 왔어요.
공격 •	• 만화 속에 나오는 __________이 울고 있어요.
주인공 •	• 가족들과 ________를 보러 가기로 했어요.

대화 추론 아래의 만화를 읽고 물음에 알맞은 답을 찾아보세요.

나라면 어떻게 말할지 채워보세요.

1. 시우는 왜 영화 보는 도중에 일어나서 만세를 했나요?
   ① 주인공처럼 기분이 좋아서
   ② 주인공처럼 기분이 슬퍼서
   ③ 주인공처럼 무서워서
   ④ 주인공처럼 화가 나서

2. 시우의 행동을 본 다른 사람들은 어떤 반응을 보일까요? 모두 골라보세요.

시끄럽다고 한다	같이 울자고 한다
앉으라고 한다	같이 웃자고 한다

3. 엄마가 할 말로 알맞은 것을 고르세요.
   ① 영화관처럼 사람이 많은 곳에서는 마음속으로만 해야지.
   ② 영화관처럼 사람이 많은 곳에서는 사람들이랑 같이해야지.
   ③ 네가 일어나면 뒤에 있는 사람들이 잘 보이잖아.
   ④ 사람들이 네 덕분에 신나 할 것 같아.

4. 영화관에서 영화를 볼 때 어떤 태도로 봐야 하는지 써보세요.

활동 더하기 영화관에서 지켜야 할 약속을 찾아 ○ 하세요.

영화관에서 지켜야 할 규칙

1. 영화를 볼 때 휴대전화를 [사용한다] / [사용하지 않는다]

2. 영화보는 중에는 [조용히 한다] / [시끄럽게 이야기한다]

3. 나의 티켓에 [나와 있는 자리에 앉는다] / [앉고 싶은 자리에 앉는다]

4. 앞좌석에 [발을 올린다] / [발을 올리지 않는다]

5. 영화를 보다 마음에 드는 장면이 나오면
   [핸드폰으로 찍는다] / [눈으로만 본다]

6. 영화를 다 보고
   [쓰레기를 가지고 나온다] / [그대로 두고 나온다]

생각 정리 시우에게 어떤 말을 해줄까?

- 영화관에서는 주변 사람에게 방해되지 않게 해야 해.
- 영화관에서 사람들과 함께 소리 지를 수 있어.
- 자리에서 일어나면 뒤에 있는 사람들에게 방해가 돼.
- 주인공처럼 일어나서 만세를 하면 영화를 더 재미있게 볼 수 있어.

44 무단횡단을 하려고 했어요

어휘 풀이

- ☐ **하교**
  명사 공부를 끝내고 학교에서 집으로 돌아옴
- ☐ **횡단보도**
  명사 건널목
- ☐ **신호**
  명사 어떤 뜻을 알리는 것
- ☐ **무단횡단**
  명사 횡단보도가 아닌 곳에서 도로를 가로질러 감
- ☐ **건너다**
  동사 무엇을 사이에 두고 한편에서 맞은편으로 가다

오늘은 아빠가 휴가여서, **하교**할 때 데리러 온다고 하셨어요. 아빠를 만나 신난 마음으로 집에 가서 간식을 먹을 생각에 기분이 들떴어요. 그런데 길을 건너려고 보니 **횡단보도 신호**가 빨간불이었어요. 기다리기 싫었던 나는 **무단횡단**을 하려고 했어요. 그 순간, 아빠가 깜짝 놀라 내 팔을 잡아당기며 말렸어요. "안 돼! 빨간불일 땐 **건너면** 안 돼!" 바로 그때, 쌩— 하고 자동차 한 대가 빠르게 지나갔어요. 순간 가슴이 콩닥콩닥 뛰었어요. 만약 내가 무단횡단을 했다면… 큰일 날 뻔했어요. 그제야 깨달았어요. 신호를 지키지 않고 길을 건너는 건 정말 위험한 행동이라는 걸요.

O X

다음 문장을 읽고 위 내용과 맞으면 O, 틀리면 X에 체크하세요.

	O	X
· 오늘 아빠는 출근하지 않아요.	☐	☐
· 아빠를 만나기 전에 간식을 먹었어요.	☐	☐
· 승우는 무단횡단을 하려고 했어요.	☐	☐
· 아빠는 깜짝 놀라 승우의 팔을 잡아당겼어요.	☐	☐
· 차 한 대가 승우 앞에서 멈춰 섰어요.	☐	☐

상황 이해 다음 질문에 적절한 답을 찾아보세요.

1. 여기는 어디인가요?

학교 앞 분식집	학교 앞 횡단보도	학교 앞 문구점	학교 운동장

2. 누구와 누구의 대화인가요?

아빠와 선생님	아빠와 엄마	아빠와 승우	아빠와 할아버지

3. 누구의 행동이 이상한가요?

엄마	아빠	승우	선생님

4. 무엇을 하려고 했나요?

횡단보도에서 건너려고 했다	무단횡단을 하려고 했다	차를 타려고 했다	걸어가려고 했다

5. 무단횡단을 하는 승우를 본 아빠는 어떤 표정을 지었나요?

부러운 표정	즐거운 표정	놀란 표정	지루한 표정

어휘 체크 다음 어휘와 어울리는 문장을 찾아 선을 긋고 알맞은 형태로 써보세요.

횡단보도 •	• ________후 피아노 학원에 가야 해요.
건너다 •	• ____________을 하면 사고가 날 수 있어요.
하교 •	• 길을 ________ 오른쪽으로 가면 장난감 가게가 있어요.
신호 •	• 친구가 나에게 눈빛으로 ________를 보냈어요.
무단횡단 •	• 마트 앞 ____________를 건너면 꽃가게가 있어요.

대화 추론 아래의 만화를 읽고 물음에 알맞은 답을 찾아보세요.

나라면 어떻게 말할지 채워보세요.

....

....

....

1. 승우는 왜 무단횡단을 하려고 했나요?

① 학원에 빨리 가려고

② 동물원에 빨리 가려고

③ 집에 빨리 가려고

④ 할머니 댁에 빨리 가려고

2. 횡단보도 신호가 빨간불일 때 길을 건너면 어떤 일이 벌어질 수 있나요?

빨리 갈 수 있다	사고 날 수 있다
칭찬받을 수 있다	천천히 갈 수 있다

3. 아빠가 할 말로 알맞은 것을 고르세요.

① 아빠랑 같이 무단횡단하자.

② 안돼! 횡단보도에서 기다리자.

③ 승우야 더 빨리 뛰어가!

④ 너 정말 좋은 생각을 했구나!

4. 횡단보도나 좁은 길을 건널 때 지켜야 하는 약속에는 무엇이 있을지 써보세요.

....

활동 더하기 | 선생님의 말씀을 듣고 바르게 말한 친구를 골라보세요.

생각 정리 | 승우에게 어떤 말을 해줄까?

- 무단횡단을 하면 사고 날 수 있어.
- 무단횡단을 하려고 하다니!
아주 좋은 생각인걸?
- 무단횡단 하지 말고 횡단보도로 가자.
- 아무 곳에서나 건너가면 되는 거야.

45 립밤을 바르기 싫어하다 입술이 터졌어요

어휘 풀이

- ☐ **건조**
  명사 말라서 습기가 없음
- ☐ **바싹바싹**
  부사 자꾸 마르거나 타들어 가는 모양
- ☐ **립밤**
  명사 입술에 영양을 주며, 트는 것을 막기 위하여 바르는 화장품
- ☐ **촉촉하다**
  형용사 물기가 있어 조금 젖은 듯하다
- ☐ **답답하다**
  형용사 숨이 막힐 듯이 갑갑하다

겨울이 되면 날씨가 **건조**해져요. 그래서 입술이 **바싹바싹** 말라서 찢어지고, 피가 나기도 해요. 아프고 따갑고, 말할 때도 불편해요. 엄마는 **립밤**을 바르면 입술이 **촉촉해져서** 피가 안 난다고 하셨어요. 그런데 립밤을 바르면 입술이 무거운 옷을 입은 것처럼 **답답한** 느낌이 들어요. 립밤을 안 바르면 아프고, 바르면 답답하고 정말 고민이에요. 이럴 땐 어떻게 하면 좋을까요? 답답하지 않은 립밤도 있을까요? 입술을 촉촉하게 지낼 수 있는 다른 방법은 없을까요?

다음 문장을 읽고 위 내용과 맞으면 O, 틀리면 X에 체크하세요.

	O	X
• 겨울이 되면 날씨가 건조해져요.	☐	☐
• 예나의 입술이 말라서 피가 났어요.	☐	☐
• 예나는 무거운 옷을 입어 불편했어요.	☐	☐
• 예나는 립밤 바르는 것이 싫어요.	☐	☐
• 엄마는 립밤을 바르면 입술이 촉촉해진다고 했어요.	☐	☐

상황 이해 다음 질문에 적절한 답을 찾아보세요.

1. 지금은 어떤 계절인가요?

봄	여름	가을	겨울

2. 누구와 누구의 대화인가요?

엄마와 할머니	엄마와 예나	엄마와 아빠	엄마와 언니

3. 누구의 행동이 이상한가요?

엄마	립밤	예나	목도리

4. 엄마는 무엇을 하라고 했나요?

립밤을 사라고 했다	립밤을 먹으라고 했다	립밤을 바르라고 했다	립밤을 바르지 말라고 했다

5. 예나에게 립밤을 발라주는 엄마는 어떤 표정을 지었나요?

부러운 마음	즐거운 마음	걱정하는 마음	지루한 마음

어휘 체크 다음 어휘와 어울리는 문장을 찾아 선을 긋고 알맞은 형태로 써보세요.

립밤 •	• 겨울이 되니 날씨가 ________해요.
건조 •	• 나뭇잎이 ________ 말랐어요.
바싹바싹 •	• 화장품 가게에 가서 ________을 샀어요.
답답하다 •	• 비가 와서 땅이 ________.
촉촉하다 •	• 저녁 먹은 것이 체해서 속이 ________.

대화 추론 아래의 만화를 읽고 물음에 알맞은 답을 찾아보세요.

나라면 어떻게 말할지 채워보세요.

....

....

....

1. 예나는 왜 립밤을 바르지 않으려고 했나요?

① 바르면 입술이 커져서

② 바르면 입술이 예뻐져서

③ 바르면 입술이 답답해서

④ 바르면 입술에 피나서

2. 입술이 건조해서 갈라졌는데 립밤을 바르지 않으면 어떻게 될까요?

입술이 촉촉해진다	입술에서 피가 난다
입술이 커진다	입술이 작아진다

3. 엄마가 할 말로 알맞은 것을 고르세요.

① 네 입술이 아프지 내 입술이 아프냐?

② 립밤을 발라야 예나 입술이 안 아프지.

③ 넌 엄마 싫어하니?

④ 립밤 진짜 맛있어 먹어보자.

4. 건조할 때 촉촉하게 할 수 있는 다른 방법들은 무엇이 있을지 써보세요.

....

활동 더하기 예나의 말풍선을 읽고, 예나가 갖고 싶은 립밤을 손에 붙여보세요.

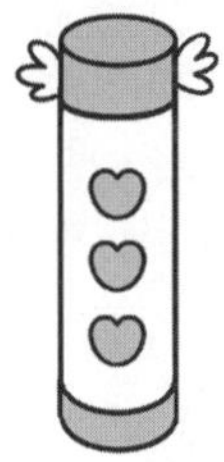

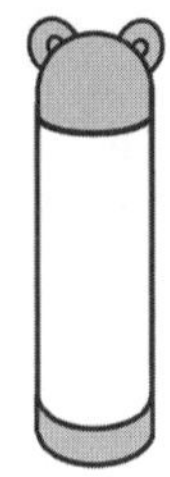

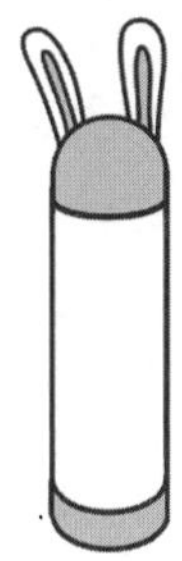

생각 정리 예나에게 어떤 말을 해줄까?

- 입술 아프잖아. 그러니 립밤 발라.
- 립밤 답답하니까 침 발라.
- 립밤 바르면 입술이 촉촉해져.
- 립밤 진짜 맛없어 바르지 마!

46 더 먹고 싶어서 친구 반찬을 뺏으려고 했어요

어휘 풀이

- ☐ **돈가스**
  명사 빵가루를 묻힌 돼지고기를 기름에 튀긴 요리
- ☐ **배식**
  명사 단체에서 식사를 나누어 줌
- ☐ **빼앗다**
  동사 남의 것을 억지로 가져가다
- ☐ **들키다**
  동사 걸리다
- ☐ **사과하다**
  동사 자기의 잘못을 인정하고 용서를 빌다

급식 시간이 되었어요. 오늘 반찬 중에는 내가 제일 좋아하는 **돈가스**가 나왔어요! **배식**해 주시는 선생님께 "많이 주세요!"라고 말했지만, “한 사람당 세 개씩만 줄 수 있어요.”라고 하셨어요. 맛있는 반찬은 항상 조금만 나와서 너무 아쉬워요. 그런데 옆에 앉은 친구가 다른 데를 보는 순간, 나도 모르게 돈가스를 **빼앗으려다가** 그만 **들켜버렸어요**. 친구가 깜짝 놀라며 화를 냈고, 나는 얼른 미안하다고 **사과했어요**. 내가 너무 욕심을 부렸던 것 같아 부끄러웠어요. 앞으로는 정해진 만큼만 먹고, 친구 음식엔 손대지 않기로 약속했어요.

O X

다음 문장을 읽고 위 내용과 맞으면 O, 틀리면 X에 체크하세요.

	O	X
· 시우는 돈가스를 좋아해요.	☐	☐
· 한 사람당 돈가스를 5개씩 받았어요.	☐	☐
· 시우는 돈가스를 다 먹고 더 받아왔어요.	☐	☐
· 시우는 친구의 돈가스를 빼앗으려고 했어요.	☐	☐
· 시우는 친구에게 미안하다고 사과했어요.	☐	☐

상황 이해 다음 질문에 적절한 답을 찾아보세요.

1. 지금은 무슨 시간인가요?

급식 시간	쉬는 시간	수업 시간	하교 시간

2. 누구의 행동이 이상한가요?

선생님	친구	아빠	시우

3. 시우는 무엇을 더 먹고 싶었나요?

밥	국	돈가스 반찬	김치

4. 시우는 친구에게 어떻게 하려고 했나요?

친구에게 돈가스를 주려고 했다	친구의 돈가스를 뺏으려고 했다	친구와 돈가스 만들려고 했다	친구에게 돈가스 그림을 그려주었다

5. 시우가 돈가스 반찬을 뺏으려고 하자 친구는 어떤 표정을 지었나요?

슬픈 표정	즐거운 표정	화난 표정	행복한 표정

어휘 체크 다음 어휘와 어울리는 문장을 찾아 선을 긋고 알맞은 형태로 써보세요.

사과하다 •	• 엄마와 나는 ____________를 제일 좋아해요.
들키다 •	• 급식실에서 __________ 해주는 아주머니께서 반찬을 많이 주셨어요.
빼앗다 •	• 친구는 내 반찬을 ____________.
배식 •	• 살금살금 걸어오고 있었는데 선생님께 ____________.
돈가스 •	• 친구와 싸웠는데 선생님이 서로 ____________ 하셨어요.

대화 추론 아래의 만화를 읽고 물음에 알맞은 답을 찾아보세요.

나라면 어떻게 말할지 채워보세요.

....

....

....

1. 시우는 왜 친구의 돈가스를 뺏으려고 했나요?

① 돈가스가 작아서

② 돈가스가 조금만 있어서

③ 돈가스가 너무 많아서

④ 돈가스가 커서

2. 친구의 돈가스를 뺏어 먹으면 친구가 어떤 반응을 보일까요?

짜증낸다	좋아한다
노래부른다	공부한다

3. 시우가 할 말로 알맞은 것을 고르세요.

① 미안해…. 장난친 거야

② 내가 좀 먹을 수도 있는 거 아니냐?

③ 너만 먹냐? 나도 먹자.

④ 나 돈가스 좋아해.

4. 다음에 좋아하는 음식이 나왔을 때 어떻게 행동하면 좋을지 써보세요.

....

활동 더하기 반찬을 더 먹고 싶을 때, 바르게 말한 친구를 찾아보세요.

생각 정리 시우에게 어떤 말을 해줄까?

- 맛있는 반찬이라고 친구 반찬 뺏지 말자.
- 친구도 먹어야지~ 내가 받은 반찬만 먹자.
- 친구는 안 먹어도 돼. 뺏어 먹어!
- 내가 먹고 싶은 게 더 중요해. 친구 거 뺏어 먹어!

사람 주인공 2

47	공중화장실에서 문을 열어둔 채로 쉬를 했어요
48	방귀를 참지 않고 뀌었어요
49	도서관에서 뛰어다녀요
50	집에서 신나게 뛰었어요

47 공중화장실에서 문을 열어둔 채로 쉬를 했어요

어휘 풀이

- ☐ **쳐다보다** 동사 얼굴을 들어 바로 보다
- ☐ **문** 명사 달아놓고 여닫게 만든 시설
- ☐ **열다** 동사 닫히거나 잠긴 것을 트거나 벗기다
- ☐ **착각** 명사 착오, 혼동
- ☐ **지우개** 명사 글씨나 그림 따위를 지우는 물건

쉬가 마려워서 급하게 화장실에 들어갔어요. 그런데 갑자기 친구가 깜짝 놀란 얼굴로 나를 **쳐다보며** "너 뭐 하는 거야?"라고 말했어요. 순간 나도 화가 나서 '왜 남의 쉬하는 걸 쳐다봐?'라고 말했어요. 잠시 후, 내가 실수했다는 걸 깨달았어요. 화장실 **문**을 닫지 않고 **열어둔** 채로 쉬를 하고 있었던 거예요. 그 순간, 집에 있는 줄 알고 **착각했던** 거였어요. '아… 나 진짜 왜 그랬지?' 내 머릿속에 **지우개**가 있는 것처럼 기억이 지워졌나 봐요. 친구에게 이런 모습을 보이다니 너무 부끄러웠어요.

다음 문장을 읽고 위 내용과 맞으면 O, 틀리면 X에 체크하세요.

	O	X
• 지아는 쉬가 마려워서 화장실에 갔어요.	☐	☐
• 지아는 문을 열고 쉬를 했어요.	☐	☐
• 친구는 지아에게 문을 닫으라고 말했어요.	☐	☐
• 화장실에는 지우개가 있었어요.	☐	☐
• 지아는 부끄러워서 울었어요.	☐	☐

상황 이해 다음 질문에 적절한 답을 찾아보세요.

1. 지아는 무엇을 하고 있나요?

밥을 먹고 있다	쉬를 하고 있다	공부하고 있다	버스를 타고 있다

2. 누구의 행동이 이상한가요?

엄마	친구	지아	아빠

3. 지아는 어디에 있나요?

운동장	급식실	교실	화장실

4. 친구는 왜 지아를 보고 깜짝 놀랐나요?

문을 닫고 쉬를 해서	문을 만들고 있어서	문을 열고 쉬를 해서	문을 그리고 있어서

5. 지아의 모습을 본 친구들은 어떤 표정을 지었나요?

놀란 표정	화난 표정	미안한 표정	행복한 표정

어휘 체크 다음 어휘와 어울리는 문장을 찾아 선을 긋고 알맞은 형태로 써보세요.

문 •	• 사람들이 모두 아기를 ___________.
착각 •	• 방 ______을 열어놓고 잠을 잤더니 모기가 들어왔어요.
지우개 •	• 창문을 활짝 _________ 시원해요.
쳐다보다 •	• 친구 생일이 오늘인 줄 _________했어요.
열다 •	• 필통에 있던 _________가 안 보여요.

대화 추론 아래의 만화를 읽고 물음에 알맞은 답을 찾아보세요.

나라면 어떻게 말할지 채워보세요.

....

....

....

1. 지아는 왜 화장실 문을 닫지 않고 쉬를 했나요?

① 학교가 아니고 집인 줄 알고

② 학교가 아니고 학원인 줄 알고

③ 집이 아니고 학원인 줄 알고

④ 집이 아니고 학교인 줄 알고

2. 친구에게 실수한 모습을 보여줬을 때 지아는 어떤 기분이 들었을까요?

부끄러운 기분	자랑스러운 기분
신나는 기분	무서운 기분

3. 친구가 할 말로 알맞은 것을 고르세요.

① 너 진짜 대단한 아이야.

② 문 열고 하면 창피하잖아~ 얼른 닫아.

③ 나도 너처럼 문 열고 쉬할래!

④ 여기가 운동장이냐! 문 열고 쉬하게?

4. 공중화장실에서 꼭 지켜야 할 규칙은 무엇이 있을지 써보세요.

....

활동 더하기 화장실에서 지켜야 할 바른 행동을 찾아 ○ 하세요.

화장실에서 지켜야 할 규칙

1. 볼일이 급하면 [참아요] / [참지 않아요]

2. 문은 꼭 [닫고] / [열고] 사용해요.

3. 변기 위에 바르게 [앉아요] / [올라가요]

4. 물을 내릴 땐 버튼을 꾹 [눌러요] / [누르지 않아요]

5. 볼일을 다 본 후 손을 [씻어요] / [씻지 않아요]

6. 볼일을 보는 친구를 [쳐다보며 놀려요] / [쳐다보지 않아요]

7. 볼일이 끝났으면 [바로 나와요] / [놀다 나와요]

생각 정리 지아에게 어떤 말을 해줄까?

- 너무 부끄럽겠다.
- 공중화장실에서는 문 닫고 해야지.
- 친구가 엄청나게 좋아했을 거야.
- 어디서든 문 열고 해도 돼.

48 방귀를 참지 않고 뀌었어요

어휘 풀이

- ☐ **보리밥**
  명사 보리로 지은 밥
- ☐ **비비다**
  동사 어떤 재료에 다른 재료를 넣어 한데 버무리다
- ☐ **방귀**
  명사 뱃속에서 음식물이 발효되면서 똥구멍으로 나오는 가스
- ☐ **짝꿍**
  명사 짝을 이루는 동료
- ☐ **이실직고**
  명사 고백

아침에 엄마가 보리밥을 해주셨어요. **보리밥** 위에 여러 가지 나물을 올리고 쓱쓱 **비벼** 먹으니 정말 맛있었어요. 그런데 수업 시간이 되자 배에서 이상한 느낌이 들기 시작했어요. 보리밥 때문인지 자꾸 **방귀**가 나올 것 같은 거예요. 열심히 참고 또 참았지만, 결국 '뿡!' 하고 방귀를 뀌고 말았어요. '제발 아무도 몰랐으면 좋겠다...'하고 있었는데, **짝꿍**이 코를 찡그리고 "방귀 냄새 나!"라고 말했어요. 순간 너무 부끄러웠지만, 나는 용기 내어 내가 뀌었다고 **이실직고** 했어요. 짝꿍은 잠시 놀란 표정을 짓더니, 금세 웃으며 괜찮다고 했어요. 민망했지만, 솔직하게 말하길 잘했다는 생각이 들었어요.

다음 문장을 읽고 위 내용과 맞으면 O, 틀리면 X에 체크하세요.

	O	X
· 시우는 학교에서 보리밥을 먹었어요.	☐	☐
· 시우는 수업 시간에 방귀를 뀌었어요.	☐	☐
· 시우가 방귀를 뀐 것을 아무도 몰랐어요.	☐	☐
· 짝꿍이 코를 찡그리며 냄새난다고 말했어요.	☐	☐
· 친구들은 시우에게 화를 냈어요.	☐	☐

상황 이해 다음 질문에 적절한 답을 찾아보세요.

1. 이곳은 어디인가요?

화장실	교실	집	운동장

2. 누구의 행동이 이상한가요?

형	시우	선생님	친구

3. 시우는 수업 시간에 무엇을 했나요?

문제 풀기	설명 듣기	방귀 뀌기	색칠하기

4. 친구가 무슨 냄새인지 물어봤을 때 시우는 왜 모른 척했나요?

즐거워서	부끄러워서	화가 나서	졸려서

5. 방귀를 참아야 하는 시우는 어떤 마음이 들었을까요?

즐거운 마음	힘든 마음	슬픈 마음	기대되는 마음

어휘 체크 다음 어휘와 어울리는 문장을 찾아 선을 긋고 알맞은 형태로 써보세요.

비비다 •	• 식당에 가서 ________과 칼국수를 먹었어요.
짝꿍 •	• 나물을 넣고 ________ 먹었어요.
보리밥 •	• 보리밥을 많이 먹었더니 ________를 많이 뀌었어요.
방귀 •	• 선생님은 ________에게 편지를 쓰라고 하셨어요.
이실직고 •	• 엄마가 거짓말을 하지 말고 ________ 하라고 하셨어요.

대화 추론 아래의 만화를 읽고 물음에 알맞은 답을 찾아보세요.

나라면 어떻게 말할지 채워보세요.

....

....

....

1. 시우는 왜 방귀를 참지 못하고 뀌었나요?

① 눈에서 이상한 느낌이 들어서

② 코에서 이상한 느낌이 들어서

③ 다리에서 이상한 느낌이 들어서

④ 배에서 이상한 느낌이 들어서

2. 수업 시간 중 방귀가 나올 것 같을 때 어떻게 해야 할까요?

방귀 뀐다	소리친다
참는다	운다

3. 시우가 할 말로 알맞은 것을 고르세요.

① 무슨 소리야? 너 진짜 이상하다.

② 아…. 참지 못하고 내가 뀌었어…. 미안

③ 너잖아! 왜 나한테 그래?

④ 메~~롱

4. 실수로 방귀를 뀌었을 때 어떻게 행동하면 좋을지 써보세요.

....

활동 더하기 방귀를 참지 못한 친구에게 어떤 말을 해주면 좋을지 말풍선에 써 보세요.

생각 정리 시우에게 어떤 말을 해줄까?

- 진짜 참기 힘들었나 보다.
- 넌 생각이 있니?
완전 대기오염 시키는 수준이야.
- 무조건 참아야지 무조건!
- 사람은 누구나 방귀를 뀔 수 있지….
괜찮아!

49 도서관에서 뛰어다녀요

어휘 풀이

- □ **빨리** 부사 냉큼
- □ **어기다** 동사 약속 따위를 지키지 아니하고 거스르다
- □ **벌** 명사 잘못하거나 죄를 지은 사람에게 주는 고통
- □ **청소** 명사 더럽거나 어지러운 것을 쓸고 닦아서 깨끗하게 함
- □ **다시는** 부사 하던 것을 되풀이해서

친구와 함께 도서관에 갔어요. 친구가 “공주 그림이 나오는 책을 누가 더 **빨리** 찾는지 게임 하자!”고 제안했어요. 빨리 찾고 싶은 마음에 두근거리며 책장 사이를 뛰어다녔어요. 하지만 도서관에서는 뛰면 안 되는 규칙이 있었죠. 우리는 그만 그 규칙을 **어기고** 말았고, 선생님께 혼이 난 뒤, **벌**로 도서관 **청소**를 하게 되었어요. 걸레질하며 친구와 이야기를 나누었어요. “**다시는** 도서관 규칙을 잊지 말고 잘 지키자!” 우리 둘 다 규칙을 지키는 게 얼마나 중요한지 깨닫는 시간이었어요.

다음 문장을 읽고 위 내용과 맞으면 O, 틀리면 X에 체크하세요.

	ⓞ	ⓧ
· 예나는 혼자 도서관에 갔어요.	□	□
· 예나는 도서관에서 책장 사이를 뛰어다녔어요.	□	□
· 도서관에는 뛰면 안 되는 규칙이 있어요.	□	□
· 어제 예나는 도서관 청소 당번이었어요.	□	□
· 예나는 도서관에서 규칙을 잘 지키기로 했어요.	□	□

상황 이해 다음 질문에 적절한 답을 찾아보세요.

1. 예나와 친구는 무엇을 하려고 하나요?

책 찾기	책 만들기	책 그리기	책 사기

2. 누구의 행동이 이상한가요?

예나	이준	선생님	승우

3. 예나는 왜 선생님에게 혼났나요?

도서관에서 울어서	도서관에서 뛰어서	도서관에서 소리 질러서	도서관에서 잠자서

4. 예나는 벌로 무엇을 하기로 했나요?

도서관 책 정리하기	도서관 책 닦기	도서관 청소하기	도서관 글씨 쓰기

5. 책을 찾으려고 뛰어다니는 예나를 본 선생님은 어떤 마음이 들까요?

웃긴 마음	화난 마음	슬픈 마음	황홀한 마음

어휘 체크 다음 어휘와 어울리는 문장을 찾아 선을 긋고 알맞은 형태로 써보세요.

다시는 •	• 누나는 나와의 약속을 ________.
어기다 •	• 약속을 지키지 않으면 ________을 받아야 해요.
벌 •	• 벌 받기 전에 ________ 가야 해요.
청소 •	• 앞으로 ________ 잘못된 행동을 하지 않기로 했어요.
빨리 •	• 방을 ________했더니 깨끗해졌어요.

대화 추론 아래의 만화를 읽고 물음에 알맞은 답을 찾아보세요.

나라면 어떻게 말할지 채워보세요.

....

....

....

1. 예나는 왜 도서관에서 뛰었을까요?

① 책을 찾으려고

② 책을 만들려고

③ 책을 보며 공부하려고

④ 선생님이 찾아오라고 하셔서

2. 도서관에서 뛰어다니면 주변 사람들이 어떤 반응을 보일까요?

손뼉을 쳐준다	불편해한다
같이 뛴다	웃는다

3. 예나가 할 말로 알맞은 것을 고르세요.

① 조금만 더 뛰어도 될까요?

② 뛰어서 죄송합니다.

③ 내일 뛸게요!

④ 지금 뛰는 중인데요?

4. 도서관에서 지켜야 하는 규칙에는 무엇이 있는지 써보세요.

....

활동 더하기 예나가 소개하는 그림책을 찾아 ○ 하세요.

생각 정리 예나에게 어떤 말을 해줄까?

- 도서관에서는 기어다녀야 해.
- 도서관에서는 뛰면 안 돼.
- 도서관에서는 살금살금 걸어 다녀야 해.
- 도서관에서는 쿵쿵! 거인처럼 걸어서 다니면 돼.

50 집에서 신나게 뛰었어요

어휘 풀이

- ☐ **전쟁** 명사 단체 사이에 무력을 사용하여 싸움
- ☐ **공격** 명사 나아가 적을 침
- ☐ **잡다** 동사 손으로 움키고 놓지 않다
- ☐ **까먹다** 동사 깜박하다
- ☐ **밖** 명사 어떤 선이나 금을 넘어선 쪽

저녁을 먹고 난 뒤, 형과 함께 **전쟁**놀이를 했어요. 서로를 **공격**하고 **잡으려고** 방 안을 이리저리 뛰어다니며 놀았죠. 그러다 아빠가 "방에서 그렇게 뛰면 안돼! 이웃이 놀랄 수 있어! "하며 혼내셨어요. 뛰면 안 된다는 걸 알면서도, 형이랑 신나게 놀다 보면 그만 **까먹고** 자꾸 뛰게 돼요. **밖에서** 놀 수 있다면 좋겠지만, 이미 늦은 시간이라 밖에도 나갈 수 없어 아쉬웠어요.

다음 문장을 읽고 위 내용과 맞으면 O, 틀리면 X에 체크하세요.

	O	X
· 이준이는 형과 함께 영화를 봤어요.	☐	☐
· 이준이와 형은 방 안을 뛰어다녔어요.	☐	☐
· 아빠가 방에서 뛰지 말라고 혼내셨어요.	☐	☐
· 이준이는 형과 놀다가 다퉜어요.	☐	☐
· 결국 이준이와 형은 밖에 나가서 놀았어요.	☐	☐

상황 이해 다음 질문에 적절한 답을 찾아보세요.

1. 지금은 언제인가요?

아침 시간	점심시간	저녁 시간	자는 시간

2. 누구의 행동이 이상한가요?

형	이준	아빠	엄마

3. 이준이는 형과 무엇을 하고 있나요?

요리 놀이	전쟁놀이	물놀이	운전 놀이

4. 이준이와 형이 뛰자 아빠는 뭐라고 하셨나요?

뛰어도 돼	뛰면 위험해	뛰면 재밌겠다	이웃이 놀랄 수 있어

5. 이준이와 형이 뛰자 아랫집 사람은 어떤 표정을 지었나요?

짜증난 표정	즐거운 표정	무서운 표정	슬픈 표정

어휘 체크 다음 어휘와 어울리는 문장을 찾아 선을 긋고 알맞은 형태로 써보세요.

잡다 •	• 리코더 챙겨오는 것을 ________.
전쟁 •	• 축구 경기에서 ________수가 골을 넣었어요.
밖 •	• 옛날에는 나라끼리 ________을 했다고 해요.
공격 •	• 친구와 손을 ________ 갔어요.
까먹다 •	• 창문 ________에는 바람이 많이 불어요.

대화 추론 아래의 만화를 읽고 물음에 알맞은 답을 찾아보세요.

나라면 어떻게 말할지 채워보세요.

....

....

....

1. 이준이와 형은 왜 집에서 뛰었나요?

① 요리 놀이를 해서

② 태권도를 해서

③ 전쟁놀이해서

④ 악기연주를 해서

2. 늦은 시간에 집에서 뛰어다니면 어떤 일이 생길 수 있나요?

이웃이 같이 뛴다	이웃이 불편해한다
이웃이 좋아한다	이웃이 웃는다

3. 형이 할 말로 알맞은 것을 고르세요.

① 이준이만 혼내주세요.

② 안 뛸게요 아빠

③ 아빠 같이 뛰어요.

④ 아랫집에서 이해해 주실 거예요.

4. 늦은 시간에 집에서 조용히 노는 방법에는 어떤 것이 있을지 써보세요.

....

활동 더하기 두 그림을 비교하여 다른 점 3개를 찾고 무엇이 다른지 이야기해 보세요.

생각 정리 이준이에게 어떤 말을 해줄까?

- 늦은 시간이야. 뛰지 말고 놀아야지.
- 집에서는 언제든 뛰어도 돼.
- 방에 앉아서 놀자.
- 저녁에는 뛰면서 놀아야 제맛이지.

도구상자 10편
저자 소개

홍연정

- 1급 언어재활사
- 문해교육 전문가 자격증과정 수련중
- 하브루타 지도사 자격증 2급

- 동신대학교 언어치료학과 졸업
- 한림대학교 보건과학대학원 언어병리학과 석사졸업

- 현) 김영효EN학습센터 / 발달센터

저자는 2009년부터 언어재활사로 활동해 오며, 다양한 언어적 어려움을 겪는 아동들을 만나왔다. 학부와 대학원에서 언어병리를 전공하며 이론과 임상을 균형 있게 쌓아왔고, 실생활 속 언어 문제를 다룰 수 있는 교육 자료의 필요성을 절감해 교재 개발에 꾸준히 힘써오고 있다. 또한 변화하는 시대 흐름과 치료 환경의 변화를 반영하기 위해 끊임없이 공부하며, 임상 현장에 효과적으로 접목하기 위한 노력을 지속하고 있다.

'일타언어홍쌤'이라는 이름으로 부모 교육, 수업 자료 제작, 언어치료 콘텐츠 기획 등 다양한 언어 중재 활동을 이어가고 있다.